掌相精粹

下卷

圓方立極

「天圓地方」是傳統中國的宇宙觀，象徵天地萬物，及其背後任運自然、生生不息、無窮無盡之大道。早在魏晉南北朝時代，何晏、王弼等名士更開創了清談玄學之先河，主旨在於透過思辨及辯論以探求天地萬物之道，當時是以《老子》、《莊子》、《易經》這三部著作為主，號稱「三玄」。東晉以後因為佛學的流行，佛法便也融匯在玄學中。故知，古代玄學實在是探索人生智慧及天地萬物之道的大學問。

可惜，近代之所謂玄學，卻被誤認為只局限於「山醫卜命相」五術及民間對鬼神的迷信，故坊間便泛濫各式各樣導人迷信之玄學書籍，而原來玄學作為探索人生智慧及天地萬物之道的本質便完全被遺忘了。

有見及此，我們成立了「圓方出版社」（簡稱「圓方」）。《孟子》曰：「不以規矩、不成方圓」。所以，「圓方」的宗旨，是以「破除迷信、重人生智慧」為規，藉以撥亂反正，回復玄學作為智慧之學的光芒；以「重理性、重科學精神」為矩，希望能帶領玄學進入一個新紀元。「破除迷信、重人生智慧」即「圓而神」，「重理性、重科學精神」即「方以智」，既圓且方，故名「圓方」。

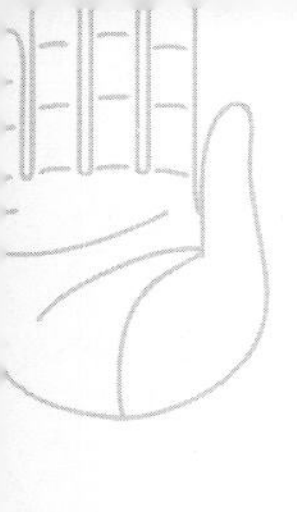

出版方面，「圓方」擬定四個系列如下：

1.「智慧經典系列」：讓經典因智慧而傳世；讓智慧因經典而普傳。

2.「生活智慧系列」：藉生活智慧，破除迷信；藉破除迷信，活出生活智慧。

3.「五術研究系列」：用理性及科學精神研究玄學；以研究玄學體驗理性、科學精神。

4.「流年運程系列」：「不離日夜尋常用，方為無上妙法門。」不帶迷信的流年運程書，能導人向善、積極樂觀、得失隨順，即是以智慧趨吉避凶之大道理。

在未來，「圓方」將會成立「正玄會」，藉以集結一群熱愛「破除迷信、重人生智慧」及「重理性、重科學精神」這種新玄學的有識之士，並效法古人「清談玄學」之風，藉以把玄學帶進理性及科學化的研究態度，更可廣納新的玄學研究家，集思廣益，使玄學有另一突破。

自序

俗云：「人不可以貌相」，究竟是對還是不對呢？當然是對！「夏蟲不可與語冰，非無冰也，以其未見冰也。」所以，對於「目不識相」的人來說，絕對是對；精通掌相的人，只會是「人中伯樂」而已。

我則認為，絕對可以「以貌取人」，亦不怕失之子羽。懂得竅門與方法，觀人於微，做個現代曾國藩，對你作為聘用僱員、選擇拍檔、交友、選擇配偶或社交，都是行之有效、切實有用的學問。

看相，不單只是看面容那麼簡單，而是要配合氣色、眼神、形態、塑像、聲音、走路的動態、紋理、癦、疤痕、凹陷、直覺及觸機，才能將一個人的運程，緊緊扣起。

還記得很多年前在電視台工作的時候，有一位當紅的司儀叫我看相，我二話不說叫他行幾步、轉個彎給我看，當時我見他轉身是向右轉的，便告訴他，他很快便會離開電視台，後果應驗。

所以，學看相除了要熟讀流年部位、五官及十二宮所賦予的意義外，還要配合眼神及動態，一動一靜去推斷，才能準確。

很多學生問我學看相難不難。我說絕對不難，只要記性好，便已成功了一大半，「掌精於勤」，再加上一點悟性，目巧心靈，已可入門了。

看相最重要是感覺，「有諸內，必形諸於外」，眼前這個人開不開心、快不快樂、有沒有痛症，完全透過他的眼神向你表露無遺，問題是你懂不懂去接收這個信息，反過來將這信息轉告給這個眼前人，因為他仍然是懵然不知。

一個很懂得掩飾、口很密實、城府很深的人，都不能掩藏到他的眼神，尤其是有痛症、有手術的人，他的眼神會蒲、會露及會有一種痛苦的表現，在他的眼睛一開一合間完全釋放出來。觀人於微，學看相者就是訓練自己去捕捉這信息，所以，勤於觀察，多些留心身旁的人發生的事，就會給你很好的啓發，很快你就會進入看相的殿堂。

從事看相及教授學生，屈指一算已有數十個年頭了，一直有個心願，願將多年掌相心得傳開去，發揚光大。掌相並不是什麼神秘的東西，只不過是一門統計學，是能夠運用到我們日常生活上的一種實用學問，很值得大家花一點時間去研究。

願此書能夠作為大家入門的鑰匙！

目錄

掌形篇

特殊線

斷掌與川字掌

實戰篇

掌形篇

總論

金庸武俠小說《鹿鼎記》內，韋小寶要找齊幾本《四十二章經》才能拼集到一張藏寶圖，找尋明朝遺留下來的寶藏，但我們則不用這般麻煩，只要攤開手板，就能知道一生的路向，最重要者，是此張藏寶圖，永無花假，從不騙人，只要你懂解拆內裏的密碼。

人類細胞的密碼是DNA，掌相的秘密就在掌形與掌紋，如能拆解，答案就如實奉上。

學習面相與掌相，相對而言，掌相是比較容易。所謂容易者，是基本掌形與掌紋並不太多，只要弄清楚基本意義後，就可配合輔助紋理及符號去推斷其變化。記憶力強的人，學掌紋往往佔有優勢。

學習掌相，要分開幾個層面去認識：先要認識手形、掌上九宮、掌丘，又要觀察手掌大小厚薄及軟硬，手指的長短曲直，手掌攤開時，手指距離的疏密。其次則要明白紋理的意義及與符號、輔助紋的關係，更重要是看氣色，而知吉凶遠近。

手形分金、木、水、火、土五行，純正入形之手極罕見，總是混合形為多，例如指長節大、色紅為木形帶火，指方而帶白為土形帶金等等。

不論何種手形，掌厚而有肉，有彈性，肌膚潤澤有光亮，各指皆壯直而無彎曲，尤其是大拇指雄偉而美觀者為佳，體形魁梧者手掌應合比例而大，個子矮小者手掌亦應合比例而短小，掌色紅或黃，鮮明潤澤而有光亮，便是合格。

其次，我們要知道掌形與掌紋，兩者是本末關係，手形為本，掌紋為末，但兩者又二而為一，不可偏廢。

我們知道，掌紋是附在手掌上而生的，相同的掌紋生在不同手形之上，往往有不同的含義和結果，例如同是一條事業線，生於木形手和土形手上，便有不同的意義，木形手的事業線是主成就於文化界，但如在土形手，則宜於工商界發展。

所以，手形為紋之本，亦即先手而後紋。但又不能因此便以為手重於紋，以為只要手形好，手紋便不用計較，此是大錯特錯，例如你在中環擁有一幅好好的地皮（手形），但只是一層高的樓房（劣的掌紋），豈非暴殄天物？當然，此情況極罕見，舉此例主要是提醒讀者要手形與掌紋同參考之重要性。

健康就是財富，雖然我們事業很成功，婚姻很美滿，富可敵國，兒孫滿堂，但是如果沒有健康的身體，我們都沒有辦法好好去享受的。

原則上，生命線可反映健康的情況、生命的壽夭，但這是不足的，因為究竟病在哪個臟腑，單靠生命線是不足以反映的，我們必須參考在手掌上的一些特殊部位，該部位就是反映某個內臟會出現問題。例如心、肝、脾、肺、腎等等。我們就要觀察各個部位的肌膚氣色是否紅潤、有沒有青筋穿過或有沒有暗色斑點，肌肉是否飽滿、有無凹陷，然後再看有沒有異常的紋理出現。

一般出現十字紋、三角紋，多為輕症，如出現井字紋、米字紋，則表示重症。出現圓形紋、方形紋，則主其人久病，亦表示部分之臟腑已遭手術切除。如出現島形，就要留意該臟腑可能會有腫瘤。

當某一種符號出現在該疾病所屬區域，就代表該臟腑會有病變，如出現十字紋，表示病尚在早期，應及早醫治，如十字紋變成米字紋，則病情是進一步惡化之表現，就要小心。

掌相精粹

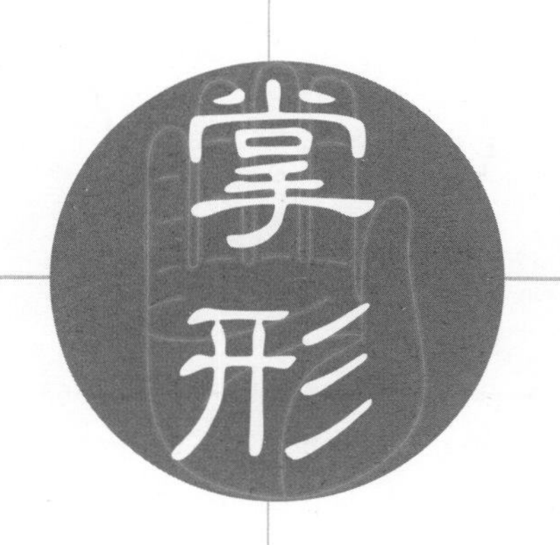

金形手

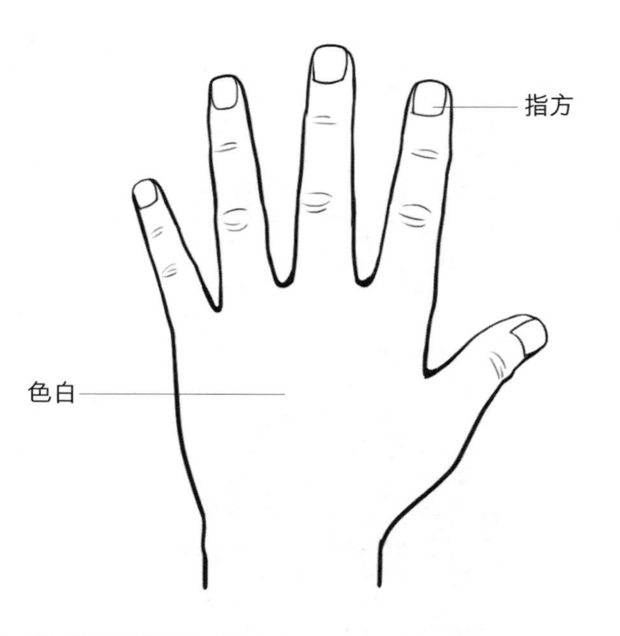

掌方指方，清秀而整齊，皮膚色澤油潤，以色白為其特徵。

此種手形的人，大富大貴，意志堅定，為人精明，處事夠耐力，不願同流合污。多能長壽，行運早。

職業方面，宜從事固定性的行業，例如公務員、會計、工程師、律師或醫生。

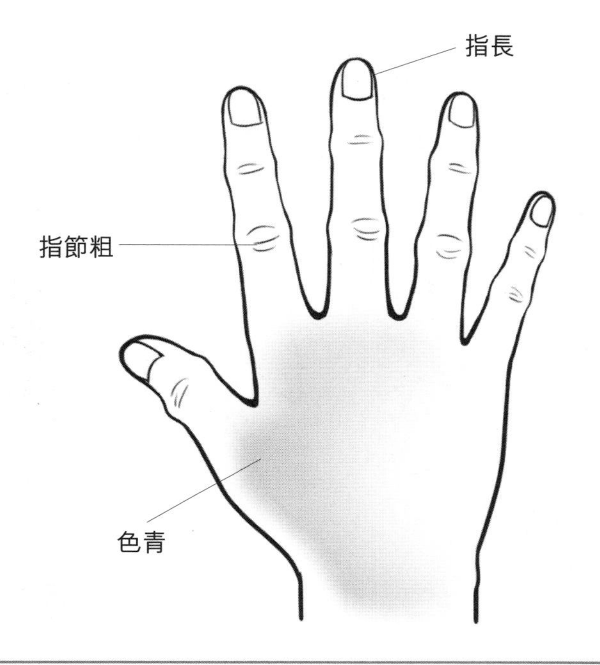

木形手

手掌與手指皆瘦而長，指節較粗，皮膚顏色以青色為特徵。

木形手形，品性剛強，果斷勇敢，可以大富大貴，但以勞碌為其特色。

適宜從事以知識謀生的行業，例如教書、科學研究、文學等。

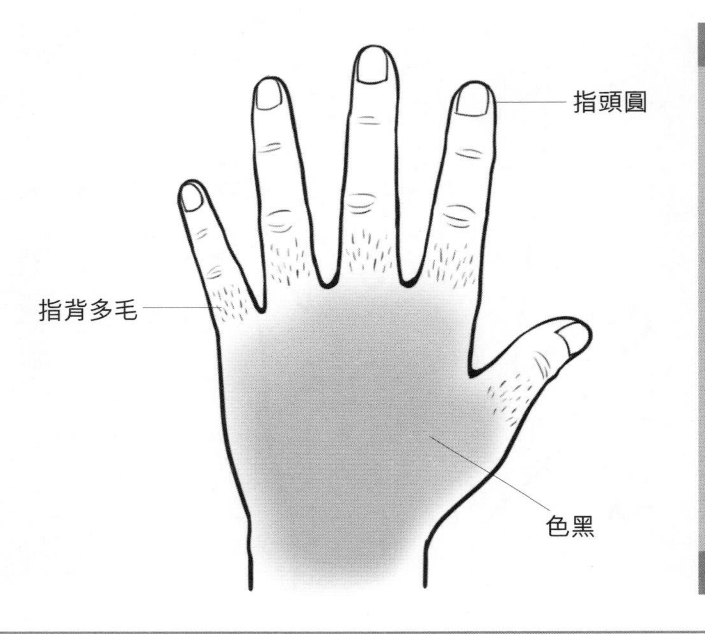

水形手

以掌肥指圓肥潤，手軟而指背多毛，膚色黑而有光澤為特徵。

水主智慧，故水形手之人，為人足智多謀，但亦多情，故男性必多妻妾，女性亦會有很多異性朋友。

此種手形的人應該從商，由於口才了得，亦可從事一些「靠口搵飯食」的工作，例如電台、電視台、配音、推銷等等。

火形手

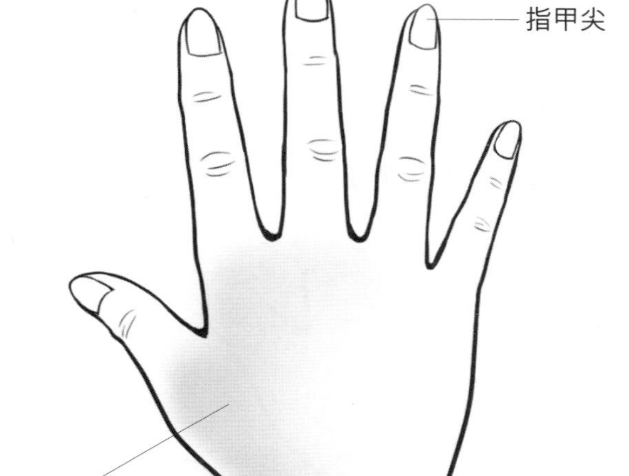

指掌皆尖銳，色紅，指甲尖削。

此種手形的人，重情重義、天才橫溢，可惜性格古怪，六親無靠，要過房或改姓，跟阿爺、外公、姨媽、舅父或其他親人而長大，或少小離家，漂泊異地，自力更生，獨創成家。

宜配硬妻，子女要晚成。

宜從事紀律部隊方面的工作，例如懲教處、海關、警署等等。

土形手

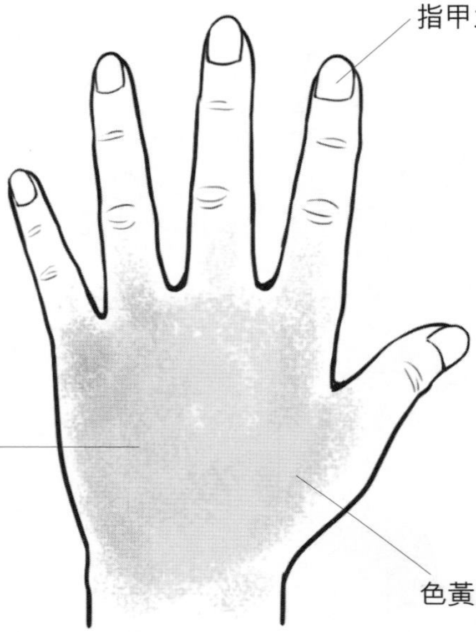

掌和指皆很厚實，皮膚較為粗糙、色黃、指甲大為特徵。

此手形主富而不主貴，為人誠實可靠，但卻固執。

此手形最宜從事活動性的工作，例如建築、五金、工業等。

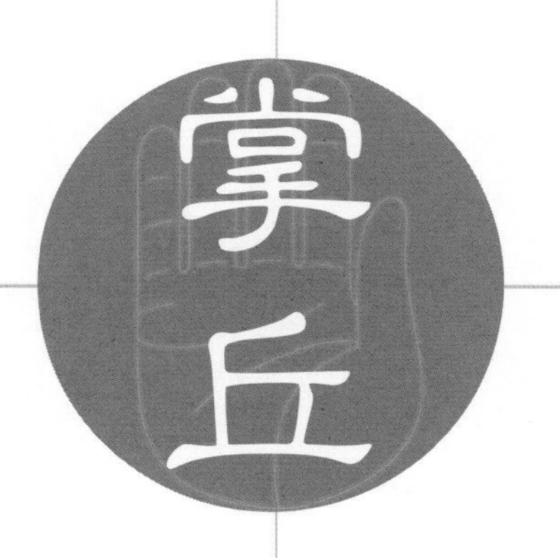
掌
丘

掌上九宮

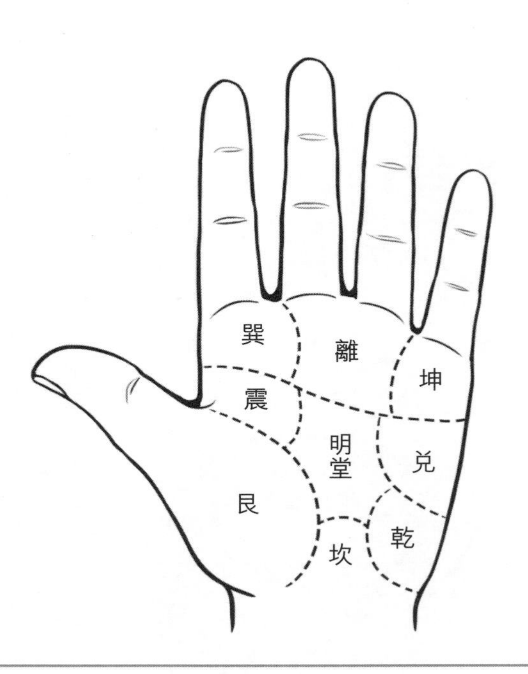

蘇軾《題西林壁》：「橫看成嶺側成峰，遠低高低各不同」，所以我們在看掌相的時候，除了會用掌紋去論斷事情外，亦會從手掌的不同部位去查究吉凶，綜合論斷，方能準確。

我們會將手掌劃分成九個部分，配上八卦，即所謂掌上八卦也，再將中央明堂加進去後，便合成九宮了。

而每個八卦所配的人事、方位與時間，便可從手掌上所配位置推算出來。例如乾為父，假如其宮位有破損就表示父親的健康出問題。坎為水，坎宮有破損則小心有婦科病。以下是各宮的詳細解說。

艮宮

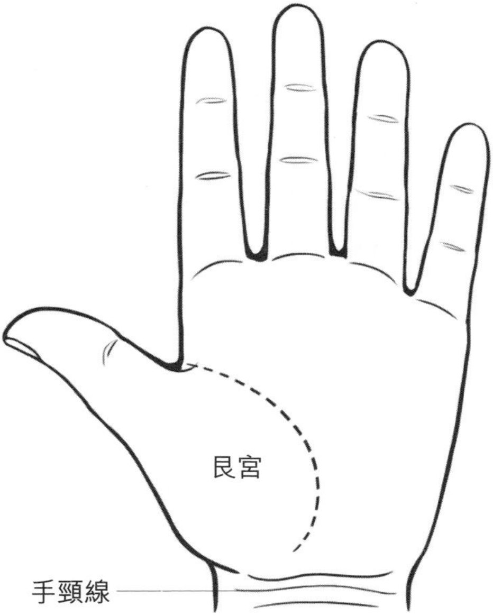

手頸線

艮宮

艮宮居丑艮寅，方位為東北，五行屬土。

此宮位是起於大拇指基節旁虎口的地方，直達至手頸線之上，即俗稱「雞髀位」的部位，就是艮宮所屬。

此宮豐滿，無筋無痣，亦無紋破者，主精力充沛，較少疾病，但性慾亦比較強。若此宮低陷，並有青筋浮露，則是多病之徵，做事欠幹勁，虎頭蛇尾。

如出現青藍色，表示移過牀位。如出現黑藍色，是服食藥物太多。如現朱砂紅點，小心血脂過高，防有脂肪肝。

震宮

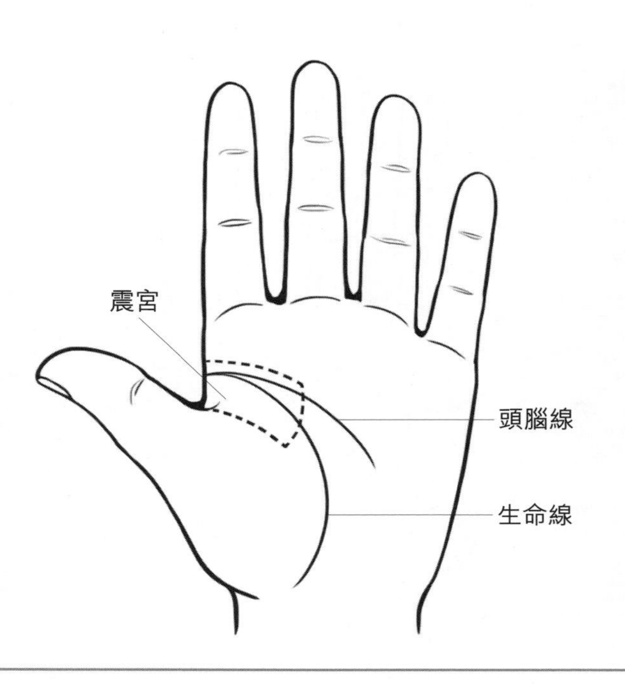

震宮居甲卯乙，東方，五行屬木。

位置是在食指之下，頭腦線與大拇指之間，即俗稱「虎口」之位置。

此宮位豐滿而色紅潤，主百事皆通，得賢美之妻，田宅興旺，為人幹練，中年大發。

若為女性，亦能大富，且妻奪夫權，是「管家婆」一名也。

但如此宮低陷，主夫妻並不和睦，傾家蕩業而不安於室，有志難伸，難成大器，做事優柔寡斷。

巽宮

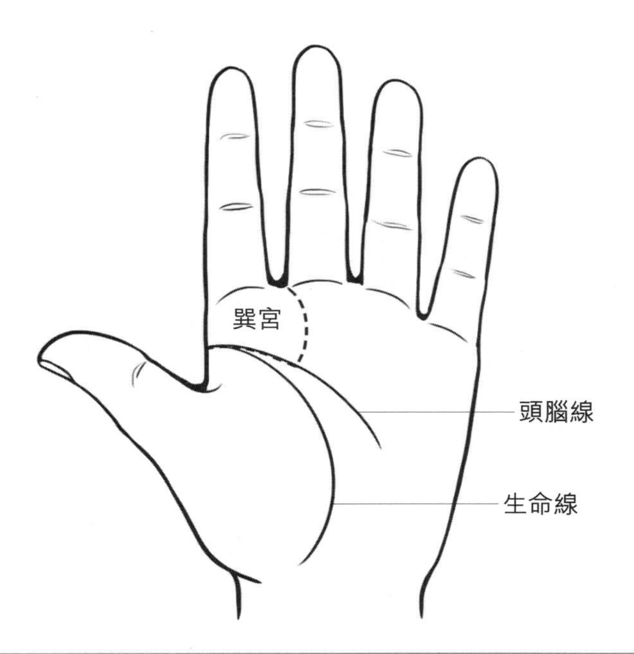

巽宮居辰巽巳，東南方，五行屬木。

此宮位在食指之下與生命線起端之間，傍至食指與中指之間。

此宮位又稱財帛宮，主財。最好能出現井字紋，主田宅興旺，有地又有樓也。

此部位如果豐滿，聰穎過人，發達亦早。

巽宮如低陷，勞碌之命，財卻不聚，命途多蹇。

離宮

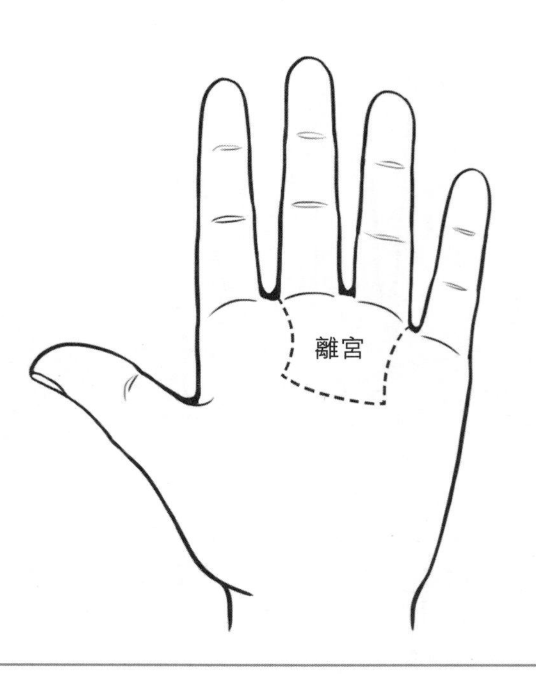

離宮居丙午丁，南方，五行屬火。

此宮位起端在食指與中指之間，末端則在無名指與尾指之間。

此宮豐滿，主財祿俱旺，宜早求功名，中年加官晉爵。

如低陷缺損，則求謀多阻，屢遇小人，中年難免破大財，縱富貴也不能持久。

離宮屬火，在身體代表眼睛，假若在中指基節出現環狀之線，主有眼疾，輕者亦患深度近視。此線如在西洋掌相則稱為土星線，因它在土星丘之由也。

坤宮

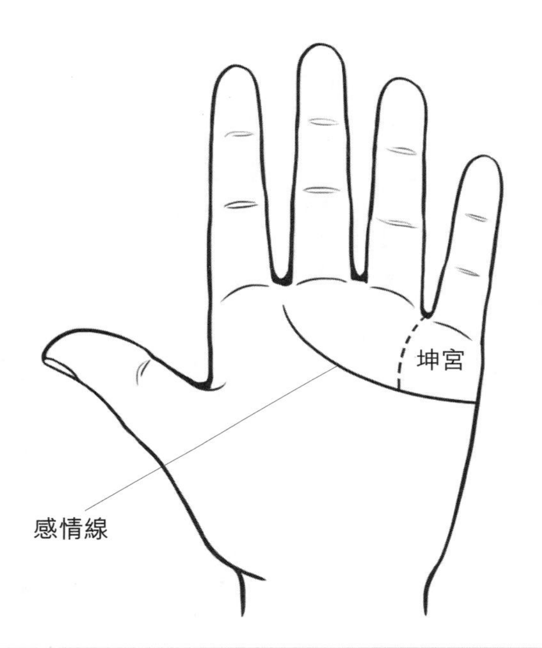

坤宮居未坤申，方位為西南，五行屬土。

坤在八卦人事所屬為母親，假如此位豐滿，主母德好，所謂母性強也，妻賢子貴，自己亦能長壽，必有異路功名，晚運尤佳。

但如坤宮低陷，再上有橫紋破之，則主早年喪母，婚事遲遲，得子尤晚，且家出敗家之兒，晚運不佳。

兌宮

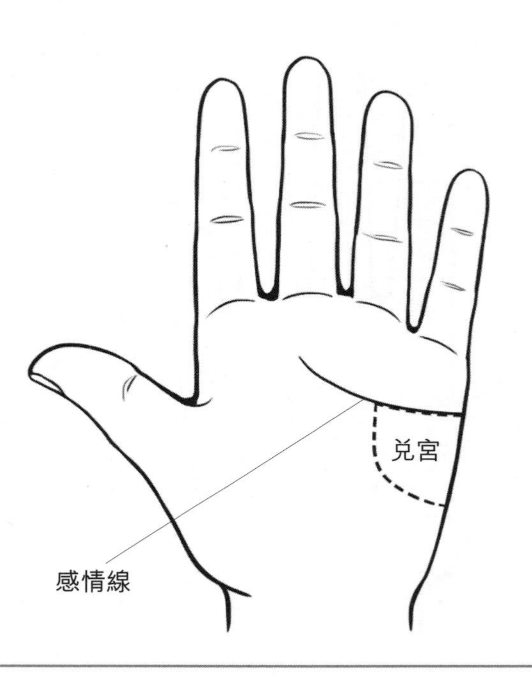

兌宮居庚酉辛，方位為正西，五行屬金。

此宮位在感情線末端的下方，坤宮之下，乾宮之上。

兌在八卦人事主妻妾情人，如豐滿，妻妾皆能順從、善解人意。八字命理學上，偏財為妾，故橫財就手，意外之財屢得。

但如此宮低陷和有紋沖破，則主刑剋妻妾，如僕不忠，自己身體也不好，性急而無忍耐力。

兌金主肺，如此部位有癦，小心肺部疾患，如哮喘、肺炎、肺結核等等。

乾宮

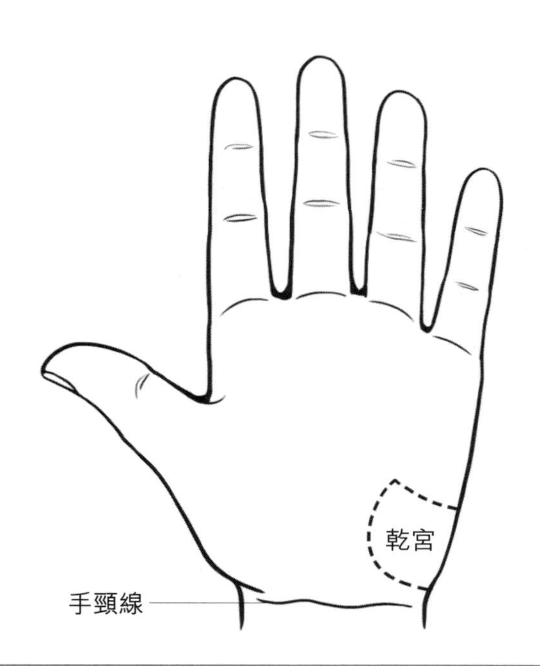

乾宮居戌乾亥，方位為西北，五行屬金。

此宮位居於手掌邊最下方，在手頸線之上，亦即稱為小魚際的地方。

乾為天，在人事上屬父親。如此宮豐滿，主父親有財產而長壽，本人身體健康，子亦得力。

還有，如乾宮飽滿，第六靈感極強，是從事玄學人士必備的條件。

但如乾宮位破，則父不壽永，早年已有喪父之痛，祖業無靠，自己奔波勞碌，子女亦不得力。

坎宮

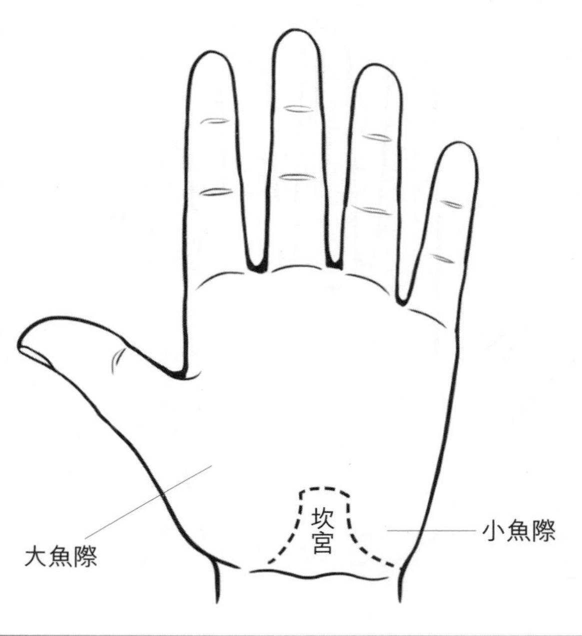

坎宮居壬子癸，方位為北，五行屬水。

此宮位在大魚際、小魚際之間，手頸線之上。

此宮豐滿，主富貴可求，為人聰明果敢，且有手段。

但如此宮低陷，有紋沖破，因坎屬水，所以水厄難免，故要小心游泳遇溺，盡量避免參與潛水活動。

坎又與生殖及泌尿系統有關。女性易患婦科之疾，如經痛、月事不調、子宮及卵巢之病。男性就要小心前列腺之疾病，尤其是性病。

明堂

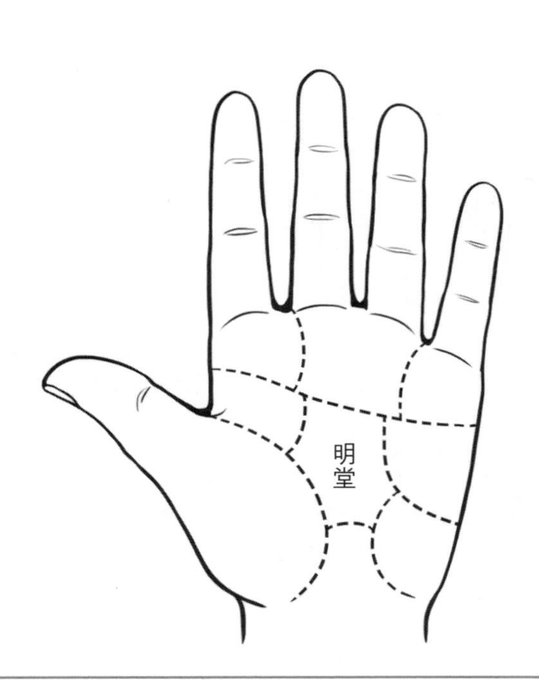

明堂即手掌中央的地方，五黃所在，屬四季，主現在之吉凶。

《木蘭辭》中有云：「歸來見天子，天子坐明堂」。在古代，明堂就是皇帝所坐的地方，可知地位之重要。所以看手掌的氣色，必先看明堂。

明堂宜平而厚，如顏色黃明紅潤，主在好運之中，有喜事來臨。

如氣色黃滯、暗黑、青而帶有白點，主病，必有災厄。

明堂是身體多條經絡行經之處，血管高度密集，所以其氣色最能反映身體健康狀況。

中國與西洋掌丘

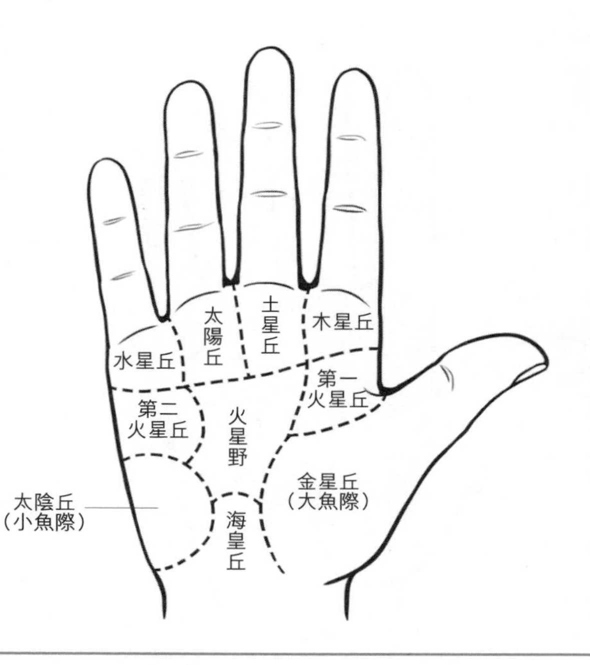

西洋掌相：「九丘一野」

傳統的中國掌相將手掌分成八個部位，配以八卦，加上中宮，便成為九宮，與風水學上九宮完全相同。

西洋掌相將手相分成九個星丘，中間的部分叫做火星野，稱為「九丘一野」。

實際上，兩者將手掌劃分的部位，除了一處外，其餘是完全相同。我們的離宮，西洋掌相將其一分為二，配以土星丘及太陽丘。其餘的分別，只是大家所用的名稱不同而已。

木星丘即巽宮，土星丘、太陽丘即離宮，水星丘即坤宮，第二火星丘即兌宮，太陰丘即乾宮，海皇丘即坎宮，金

中國掌相：「九宮」

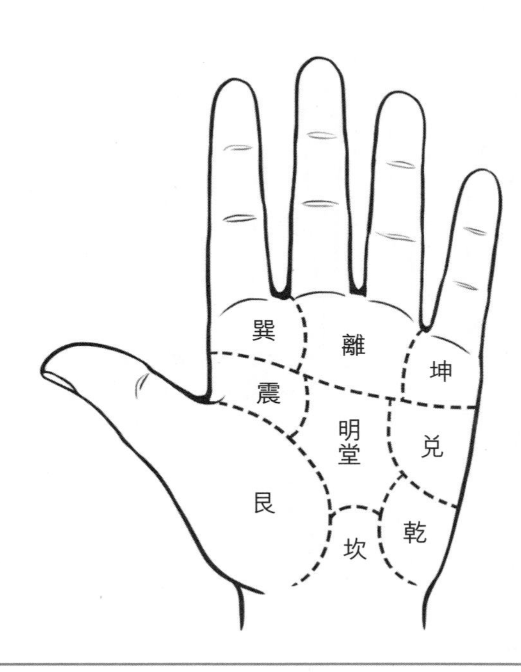

星丘即艮宮，第一火星丘即震宮，火星野即明堂。

但有時有些丘陵是不出現在本位，而是出現在兩丘之間，即兩隻手指罅下之部位（這僅限於木、土、太陽、水星四丘，他丘無此現象），稱之為「偏倚之丘」，亦即中國掌相所稱的「三峰起」，偏倚之丘不忌過高過大，反而愈高愈大為美，與中國傳統掌相觀點完全相同。

很多時我們形容紋理的起止，及符號的位置，都用到掌丘，所以必須熟記。

木星丘

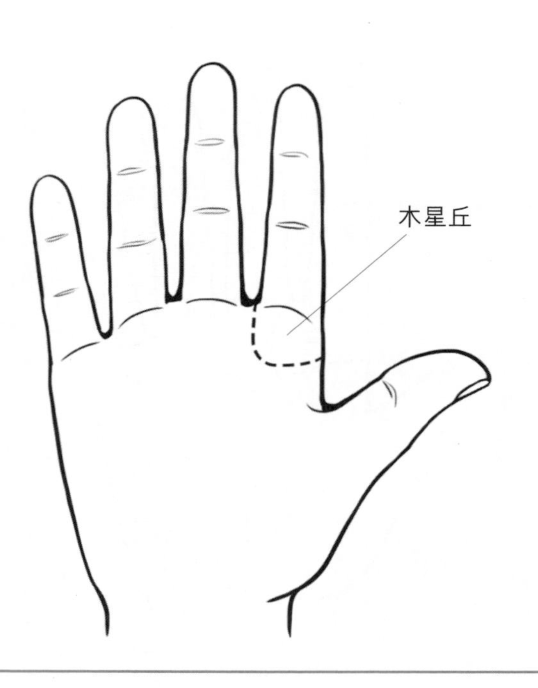

木星丘居於食指基節之下。

如高低合乎標準，主其人品格高尚，誠實可靠，正人君子也。

但如過於豐隆凸起，則其人自命不凡，自視過高，野心過大，喜玩弄權術。

相反，如此處平滑低陷，則是畏首畏尾，毫無魄力，做事損人，亦不利己。

如在丘中出現十字紋，主有美滿良緣，我在特殊意義線中亦有介紹。

如有星紋，從政多有成就，所推行的政策廣受認同。

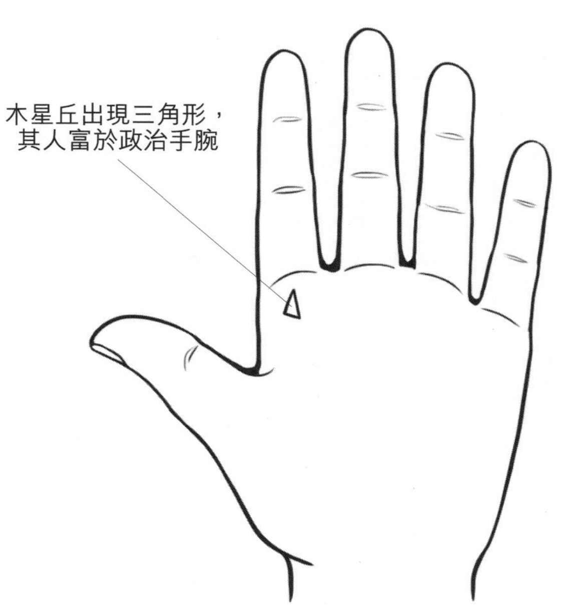

如有三角形，長於政治而手段十足，適合從政。

出現圓形，是有橫財的象徵，即所謂中獎命是也。

若有斑點，則名譽與地位皆受到沖擊，一朝湮沒。

若此丘出現一條直線，清清楚楚起自頭腦線，事業上可出人頭地，有一番功業。

但如果此條直線不止一條，而是多條，則必經多番挫折才能有成，「萬般災難始登臨」，其人自必會珍惜其成果。

第一火星丘

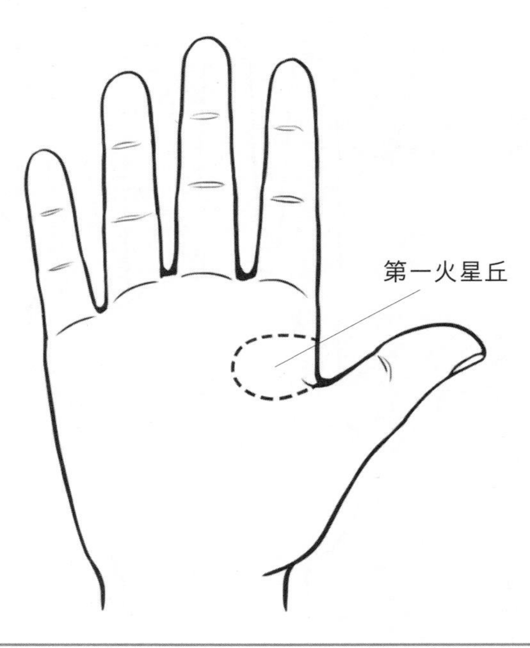

第一火星丘位在木星丘之下，金星丘之上。

此丘豐腴合度，其人富有冒險精神，處事臨危不亂，自我控制力強。

如發育過度，則是一個好勇鬥狠、殘忍暴戾之輩，常恃強凌弱，處事流於粗心大意。

如平塌無肉或傾瀉，是膽小鼠輩，缺乏上進之心，難成大事。

如有十字紋，則口舌招尤或一言喪邦，殊為可惜。

丘上出現花星紋，在軍事上有出人

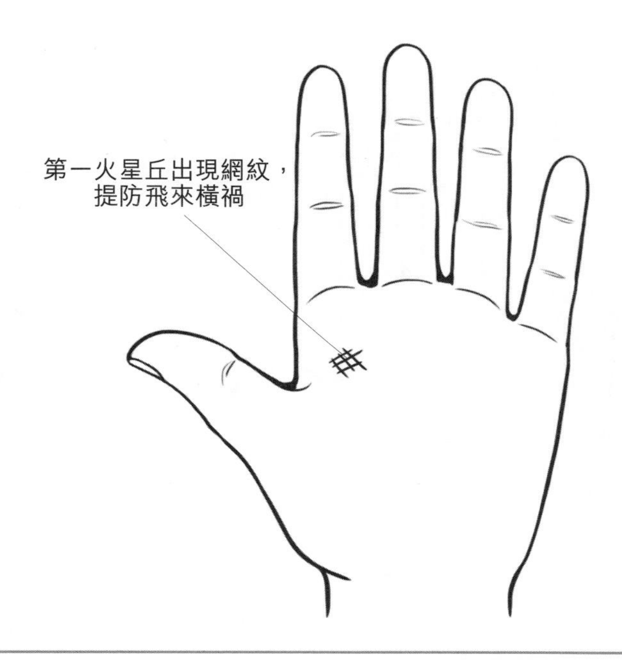

頭地的表現，可立功勳。

如出現三角形，則更是軍事方面的天才。

此處如出現網形紋，是主不吉，會遭逢意外、刀劍之災。

金星丘

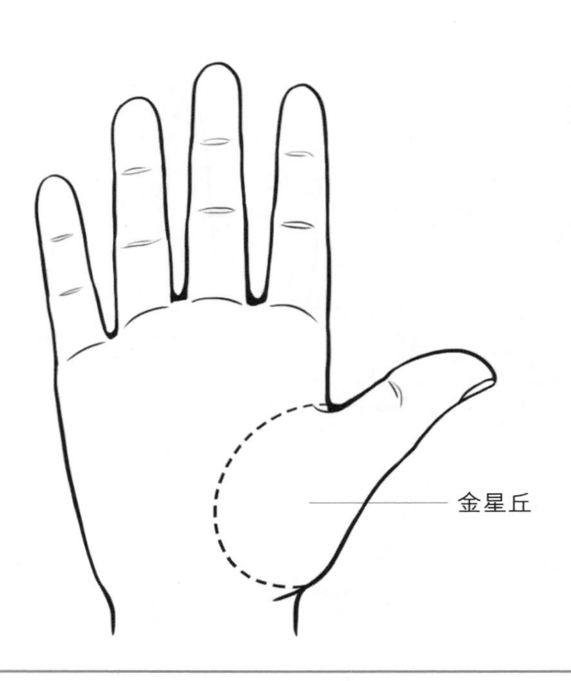

首先要在這裏指出，凡事都是物無美惡，過則為災，所有星丘皆以不過分隆起，或過於低陷為標準，適者為度。

金星丘居於大拇指的第二節，即俗稱「雞髀位」的地方。

厚薄適中者，其人平易近人，人緣很好，所謂「街坊保長」也，且對異性有吸引力。

如果此丘特別豐隆有肉而堅實者，則是性慾旺盛之人，很容易沉迷於聲色。

如此處平塌低陷，則為人自私，冷酷無情，性慾不強，如塌陷厲害，有性冷感之傾向，性機能亦會出現問題，應

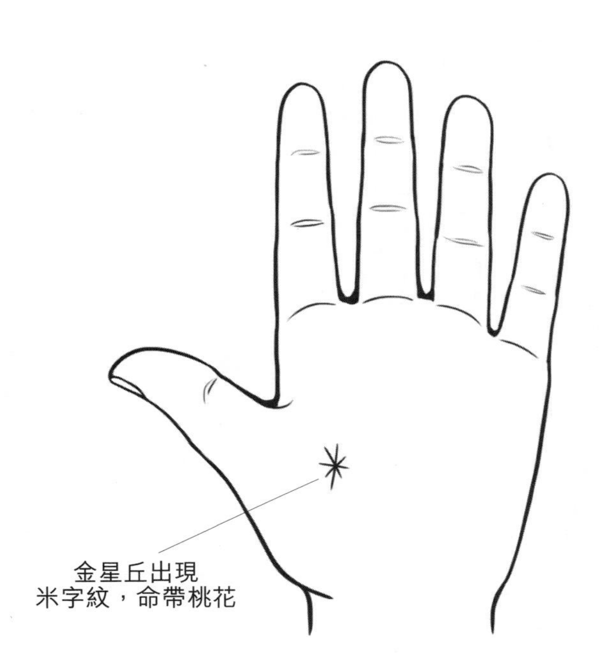

向醫生尋求幫助。

若丘中出現島形，會有婚外情。

此丘若然有十字紋，感情路上會有沉重的打擊，或因此而一蹶不振，自甘墮落。若有米字紋，其人命帶桃花，很多人在感情路上屢敗屢戰，但此人每次談戀愛都會成功，魅力非凡。

在此丘出現斑點，則會因熱戀而經常生病。

出現網紋，好色之徒也。

太陰丘

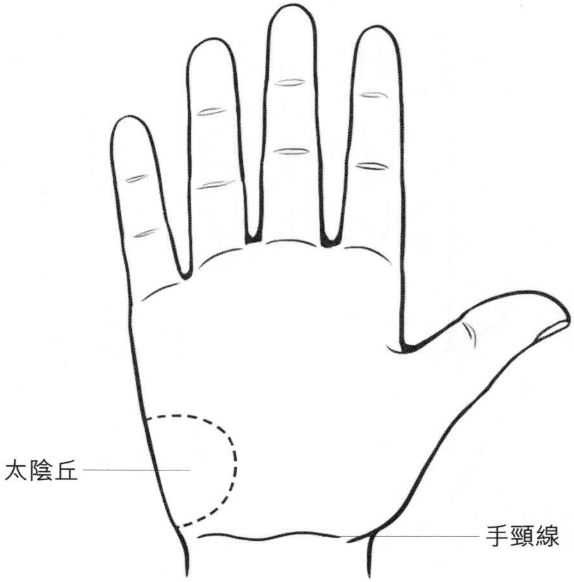

太陰丘居於手掌邊緣，手頸線之上的地方。

太陰丘厚薄適中者，其人富於想像力，後世讚譽李白云：「其詩富創造性，神韻飄飄，故予詩仙之雅號」。相信我們這位大詩人，他的太陰丘必定長得極佳了。

但如此丘過分高聳隆起，則不免流於幻想，渺無邊際，即所謂發白日夢。

但如此丘塌陷無肉，則其人又變成毫無想像力、創作能力極低，做事定必因循苟且，不會變化。

在此處出現十字紋，其人虛偽，妄

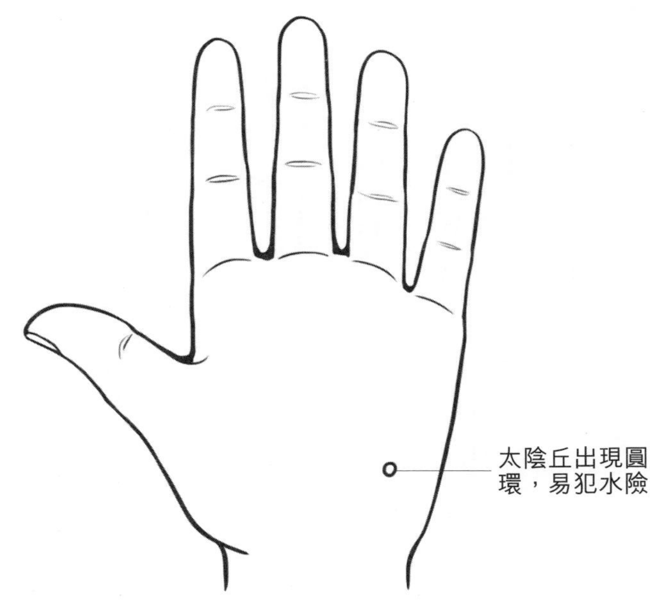

想與迷信，易患水腫之病，甚至溺斃。

若出現斑點，輕者，則神經衰弱，重則精神出問題。

網形紋，有妄想症。

三角形，想像力豐富。

若出現花星紋，頭腦線下垂與星紋接觸，其人選擇跳海自殺，或因水而死。

此丘出現圓環，亦主水險。

第二火星丘

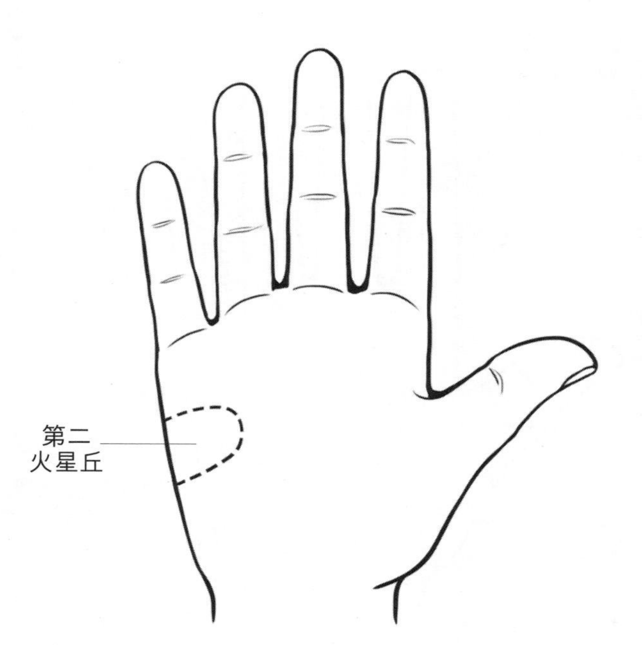

第二火星丘位於水星丘之下，太陰丘之上。

如發育合乎標準，主其人能忍辱負重，冷靜異常，處變不驚，臨危不亂。

在各個星丘之中，唯獨此丘最特別，不忌過分飽滿，其愈豐隆，處事愈堅決沉着，機警絕倫。

如平滑塌陷，則其人處事毫無魄力，缺乏膽量，行事畏首畏尾，容易受他人意見而左右，各位讀者有否聽過《伊索寓言》其中一個故事嗎？有一天，兩父子齊齊牽引着驢子進城，被人譏笑愚昧，不懂乘坐驢子，結果父親着年幼的兒子坐上驢子，但不久就給一位老人家指着

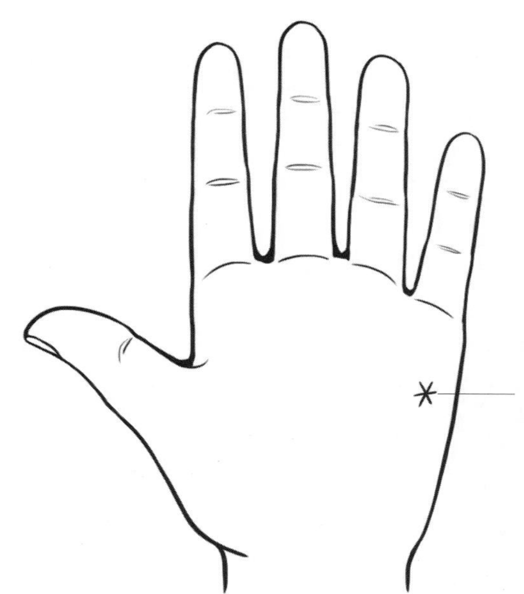

兒子大罵不孝，父親無奈就令兒子下來，改由自己騎上去，復向前行，不久則被一女性指為不懂愛護兒子，父子只好雙雙騎上驢子，但結果又遭人責罵虐畜。

由此故事可知，做人沒有主見，行事只會搖擺不定。龔自珍說：「雖千萬人，吾往矣」。成大業者必須要有堅定的目標，漫無主見就不行。

有十字紋，主好勇鬥狠而惹禍。

有花星紋，忍辱負重，卒享大名。

水星丘

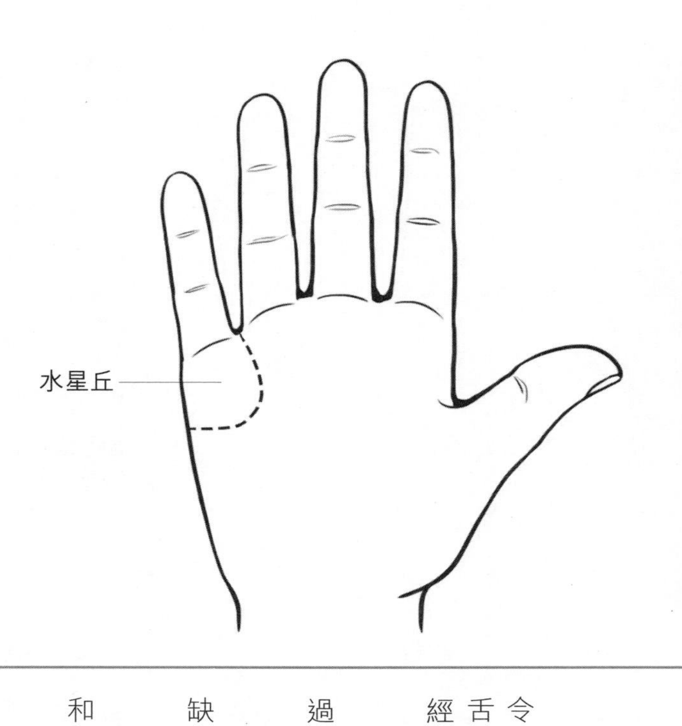

水星丘位於尾指基節之下。

如發育合乎標準，其人定必善於詞令，如耳仔屬「雞嘴耳」，喜歡駁嘴駁舌，是律師之材料也。其人還善於營商，經濟富裕。另外，還是一個科研的人材。

如此處過於豐隆，則大言不慚，言過其實，虛偽善詐之輩而已。

如發育不全，平坦低弱，則是一個缺乏才能而潦倒窮困的人。

如在丘內有一條垂直線，主有幸福和意外的財富。

如有多條垂直線，與醫學有緣，若

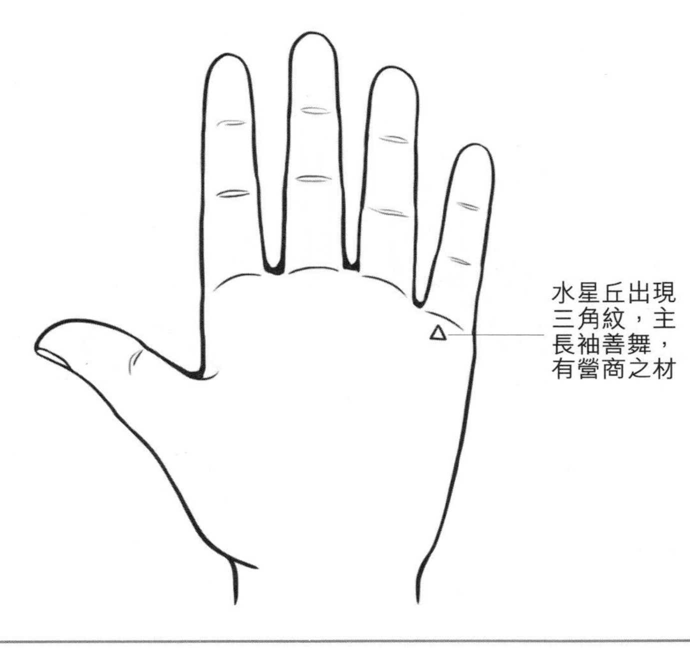

為女性，除本身可為醫生外，其丈夫亦是醫生。

若垂直線是多而短，則是一個喋喋不休、說話囉嗦的人。

如在丘上出現十字紋，其心不正，有偷竊之癖。

如有三角紋，主有經商卓越之材。

如有斑點，主營商不善，並主倒閉。

若出現星紋，主在科學上有傑出成就，或因雄辯滔滔而成名。

太陽丘

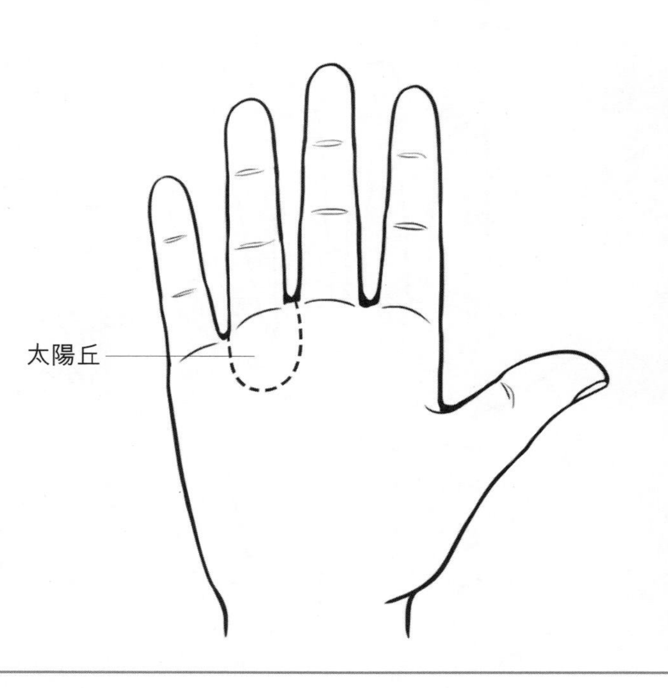

太陽丘居於無名指基節之下。

此丘豐腴合乎標準者，富於藝術天分，性格敦厚，行事光明磊落，大丈夫也。

如過分豐隆，則只是貪慕虛榮，偏好投機，過於「識時務」，但未能為「俊傑」，更弊者，是貪財好色，是其致命之傷。

如此處過於低陷，則只追求物質上的滿足，其餘一概不問。

在此丘出現十字紋，主名譽與地位皆受到損害。

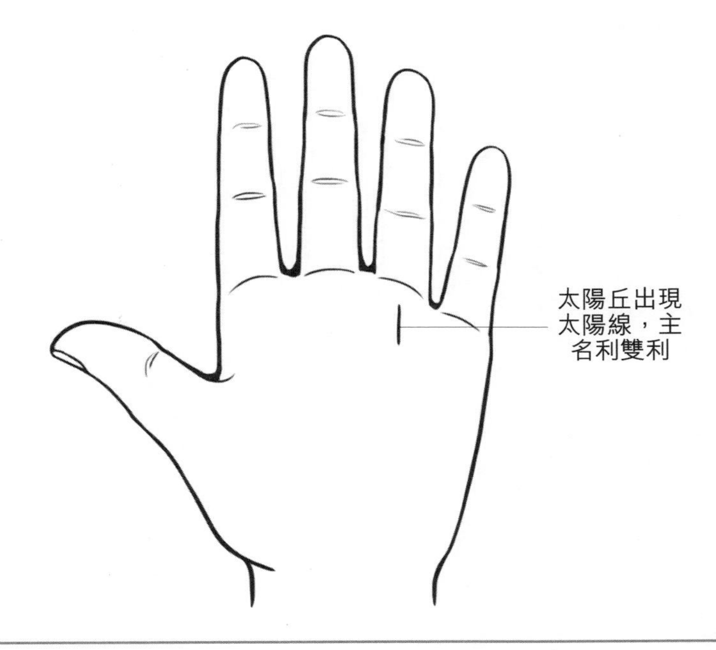

如出現三角紋，則在學術上有傑出的成就。

如有圓環紋，其聲名定為顯赫、叱咤風雲。

出現網狀紋，則野心過大，功高蓋主，美夢反成泡影。

如出現一條垂直線，名為太陽線，名利雙收。

土星丘

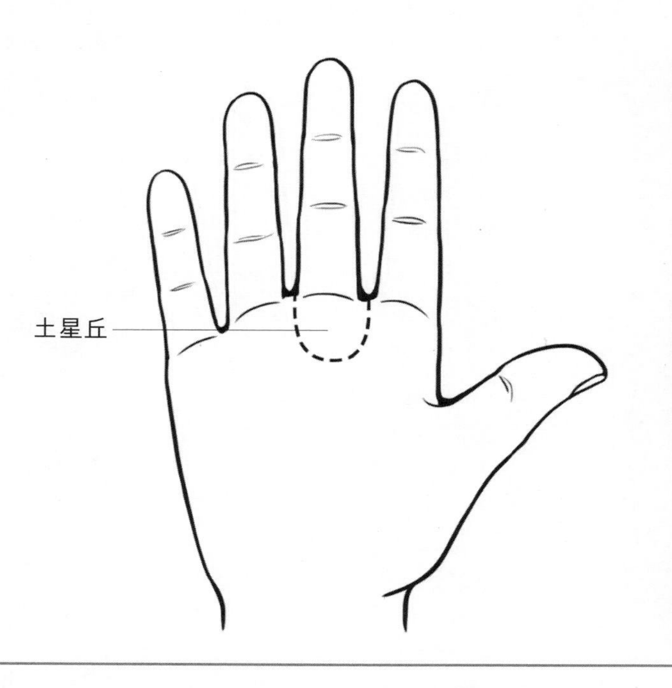

土星丘位於中指之下。

發育合乎標準的，處事異常冷靜，不會衝動而誤事，善於交際，且非常好學，正是現在政府鼓吹終身學習的人辦。

如此處特別隆起，則其人反不善與人相處，不喜交際，性格孤獨，是憂鬱小生一名，有少許憤世嫉俗，容易遁入空門，出家避世。

如此處平滑低陷，則是不識半點生活情趣之人，不要寄望其人會製造羅曼蒂克的氣氛。

土星丘出現星紋及十字紋，皆非吉兆，因主橫死也。

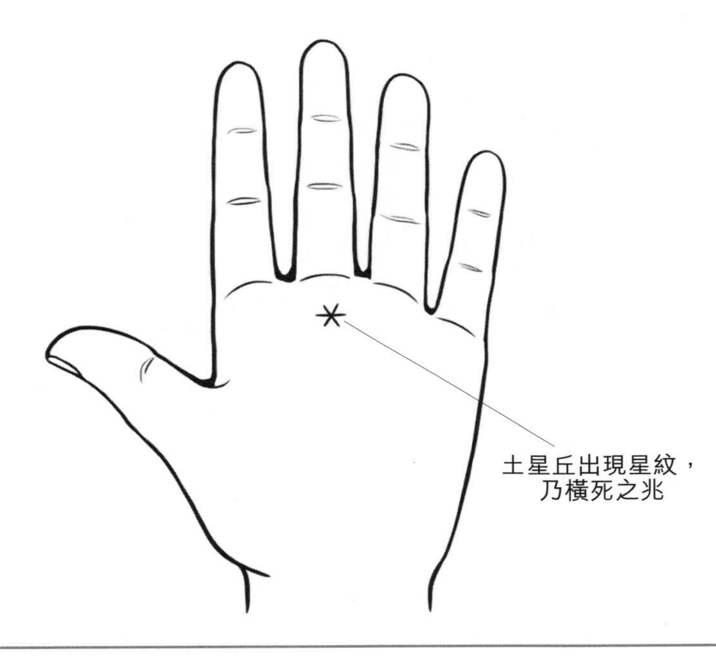

如出現四方形，則危而有救，可保不死，遇難而呈祥。

如出現網形或斑點，則畢生命途多蹇，難有好運，福無重至，只是禍必多行。

火星野

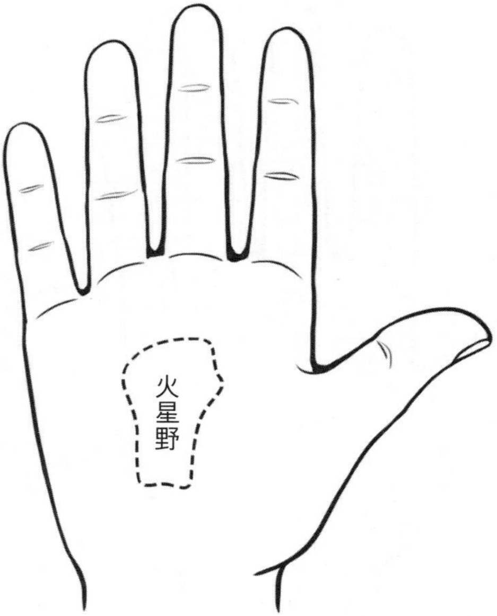

火星野就是掌的中央。

火星野以厚而平坦為吉。

厚而滿，平而陷，皆不相宜。

厚滿主性急、倔強、唯利是圖。

平陷則魄力不足，難有作為。

若中央凹陷，更不相宜，其人必有無故恐懼的情況。

如在此野出現眾多雜亂的細紋，縱橫交錯，則其人情緒極不穩定，常無故亂發脾氣，所謂小姐脾氣或少爺脾氣也。

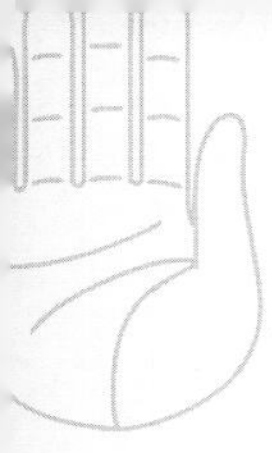

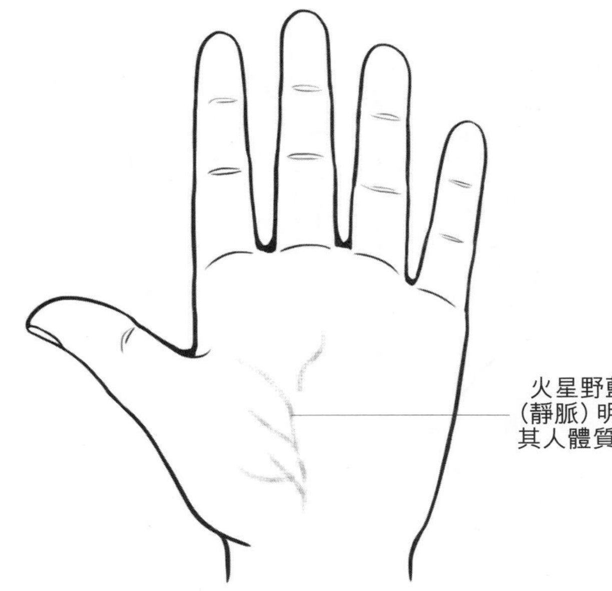

若此處靜脈明顯，即是出現藍筋，則主其人體質虛弱，沒有強健的體魄，很多事都難有作為。

如火星野低陷而影響到某一星丘，其星丘原有的優點就會受到減弱。

脹與陷，是相對而言，如其餘星丘過分豐隆，而令火星野看似低陷，但火星野實質本身並非低陷，則火星野不以低陷論。

海皇丘

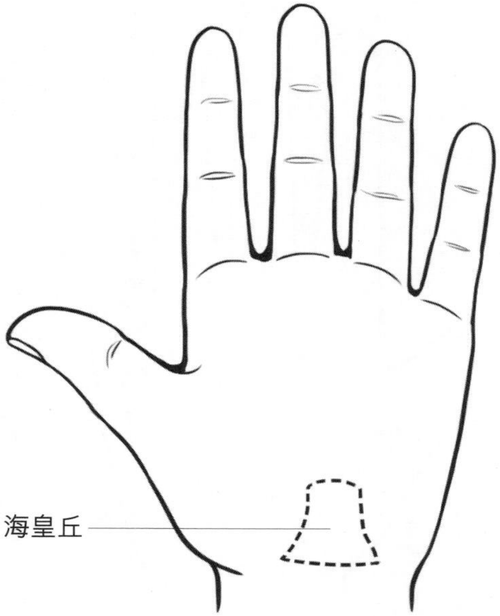

海皇丘所處的位置亦即中國人所指的坎宮。

此丘不宜過高或平陷，合乎標準的，不論男女，其人應變之能力極強，反應極快。

若此處過分高隆，則其人流於沒有主見，隨風擺柳，人云亦云。

若此處平塌低陷，則其人處事反應遲鈍，做事也慢人三拍，不懂變通。

掌相精粹

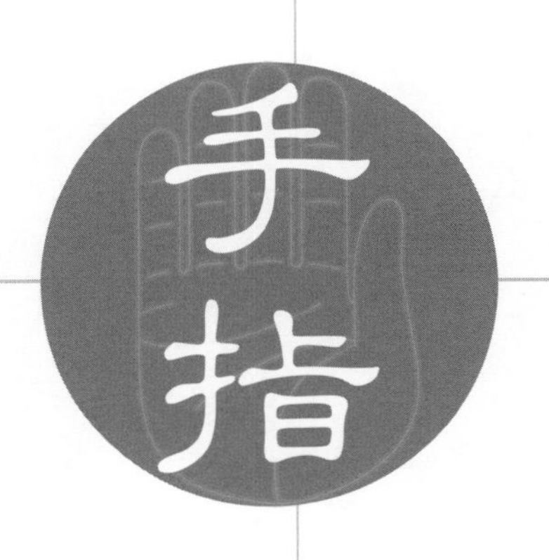

指節

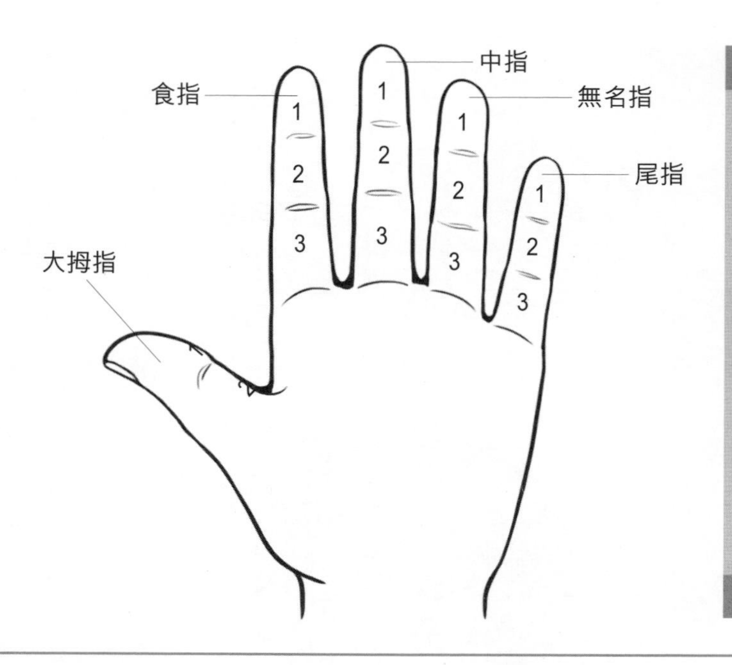

很多時談及手指的長短時，都必須用手指的指節作為衡量標準，但歷來各門各派對指節的形容詞都是各有各說，莫衷一是，故有必要向讀者交代此書的標準，以免溝通時出了誤會。

大拇指共有二個指節，在手指尖的那一節，稱為第一節，而在其下的則稱為第二節。

食指、中指、無名指及尾指，則各有三個指節，同樣地，在手指尖的一節稱為第一節，中間為第二節，最近手掌的為第三節。

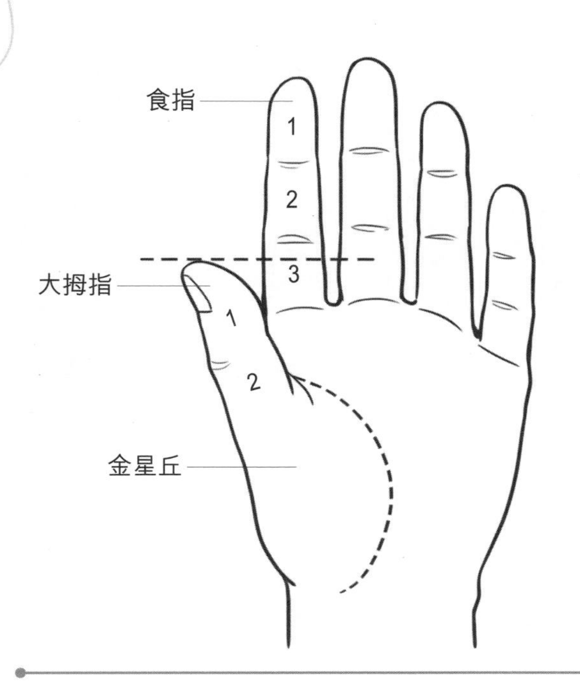

大拇指

大拇指的標準長度是靠攏食指後，在食指第三節四分之三之高度謂之合格，過者為長，不及為短。

大拇指為一掌之主，試想想如失去大拇指，我們很多日常的動作都不能完成。如大拇指過長，則其人過於自信，太過自我；如長度過短，則自信不足。

大拇指的第一節代表意志，第二節代表理性，所以大拇指端正的人，意志堅強而理性，但彎曲的話，則自我控制能力不足，即俗稱「耳仔軟」，很多時會受到旁人唆擺及影響，必定是近朱者赤，近墨者黑。

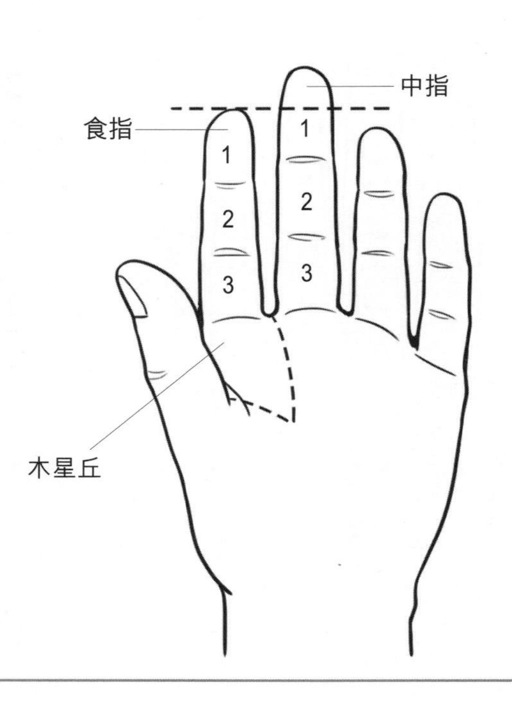

食指

食指又可稱為木星指，因它在木星丘之上。

食指的長度是指尖以達到中指第一節中之一半為合格。

食指是代表其人有沒有上進之心。

如食指形態優美，粗幼合度，直而不彎曲，長度合乎上述之標準，則可知其人有勤奮上進之心，好學而孜孜不倦。

但過長則其人高傲，雙眼長在頭頂之上，即所謂「白鴿眼」也。

食指短之人，不僅沒有進取心，而且無責任感。

中指

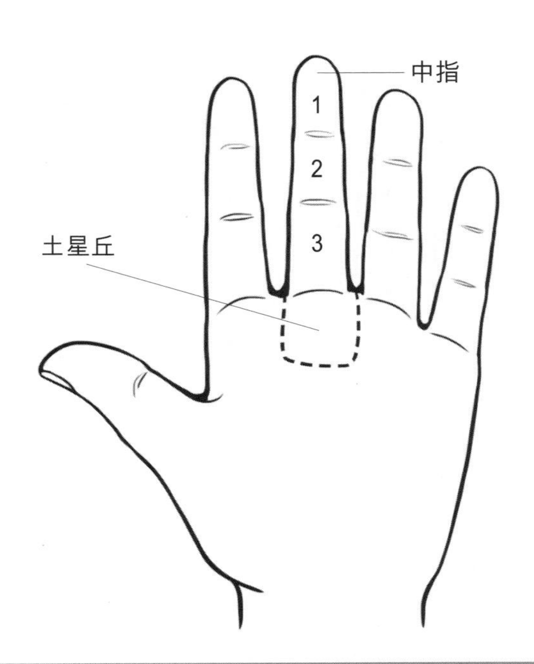

中指又稱土星指。

中指自我的長度，就是標準，它應是整隻手掌的最高點。

中指的優劣，代表其人的知識修養及處事態度。

中指強偉長直，則其人有學識修養，處事心思縝密，考慮周詳。

中指過於長大（與食指及無名指比較便知），則其人過於周詳，變成畏首畏尾，且多愁善感，人生觀灰暗。

中指短小，主無定見，見異思遷。

無名指

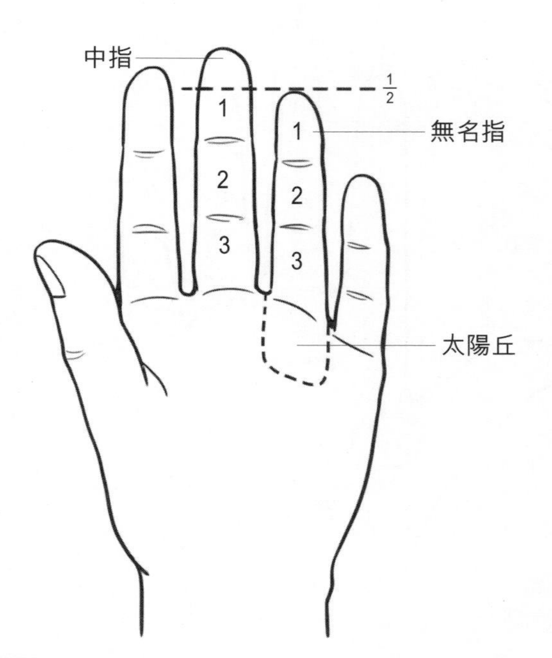

無名指又稱太陽指。它的長度應達到中指第一節的一半或五分之三處為合格。

無名指的優劣，代表其人有沒有特殊技藝之天分及是否重名譽，俗稱所謂「要面之人」。

其長度合乎標準，其人有某種特殊技藝天分，重視名譽。

如無名指特長，甚至與中指等長或過之，主其人心高氣傲，絕不肯寄人籬下，打腫臉也要充闊佬之人也。

無名指短小，毫無審美眼光，庸俗不堪。

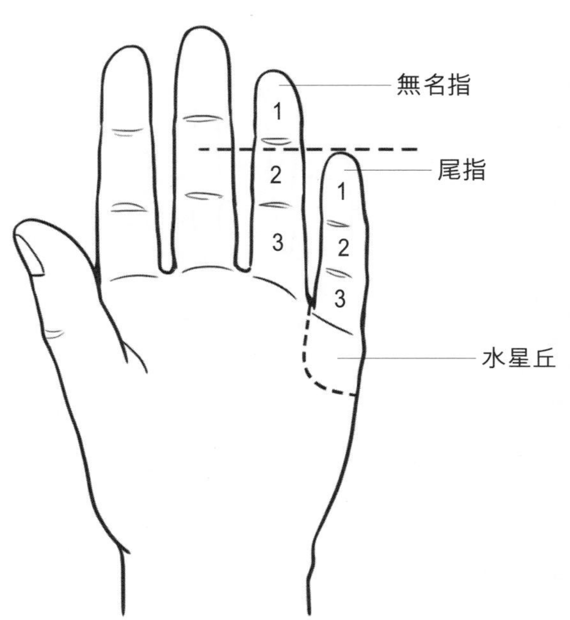

尾指

尾指又稱小指、水星指。它的標準高度應以指尖到達無名指第一節的節邊紋為合格。

小指的優劣，是主其人有沒有科研或營商之頭腦，是否善於詞令，所以雖然名為小指，其影響力絕不小。

尾指長而強偉，主其人智慧與營商之手腕均佳，可以在政壇或商場上建一番事業。

尾指特長，是「吹牛大王」。

尾指過短，表達能力差，經濟不富裕，第二、三節特別脹，要小心生殖系統的問題。

長短粗幼

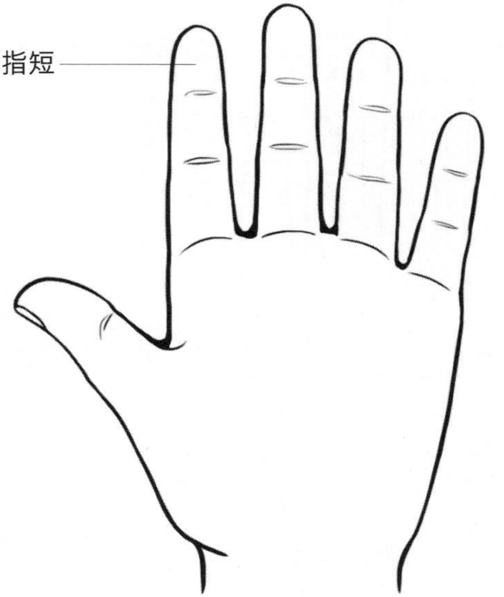

手指短

手指長的人，精神愉快，心思縝密，喜修邊幅，即俗謂「姿姿整整」，喜愛留意別人瑣碎之事。

西洋諺語有云：「Penny wise, pound fool」，手指過長的人就會過分拘於小節，吹毛求疵，小事精明，大事糊塗，往往就是他們的致命傷。

手指短的人，性急，決斷迅速，敢作敢為。但如果過短，則難免失於躁急。

指硬的人，性格倔強、固執、物質享受較差。手指秀麗幼細的人，心思縝密，深謀遠慮，精神生活充裕。

指掌之間

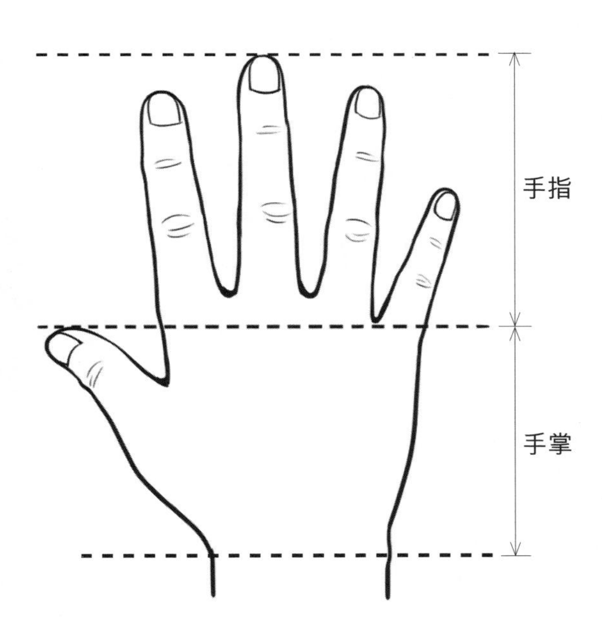

手指為龍，手掌為虎。

只可龍吞虎，不可虎吞龍。

意思是說，只可手指長過手掌，但不可以手掌長過手指，否則富貴人家也終歸破產。

各位試量度自己手指與手掌的長度，大多發覺都是掌長過手指的，這豈不是違反常理？原來不是，因為手指的長度是從手背中指關節計算至中指指尖，而手掌則是從手背中指關節計算至手腕，所以大多數人都會是手指長過手掌的。

中指
食指

指間距離

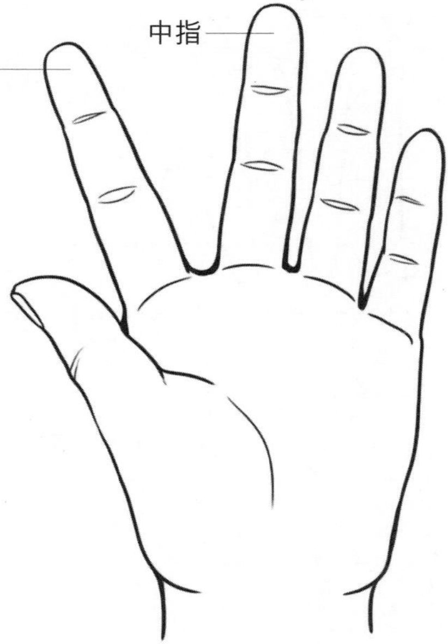

除了論手指的長與短、肥與瘦、粗與幼及手指與手掌比例外，還要留心手掌攤開來的時候，手指與手指間的疏、合、緊、密，方屬全面。每個人的性格，可盡覽無遺。

食指與中指離開頗遠的，主其人思想自由，不拘俗套，喜歡笑傲江湖。此類人腸胃亦有問題。

無名指與中指距離寬闊的，主其人行為放任，自把自為，行事不顧後果，加上印堂寬闊，性生活更為放縱。此類人支氣管易出問題。

尾指與無名指距離寬闊的，主其人思想與行為皆愛自由，不受束縛。此類

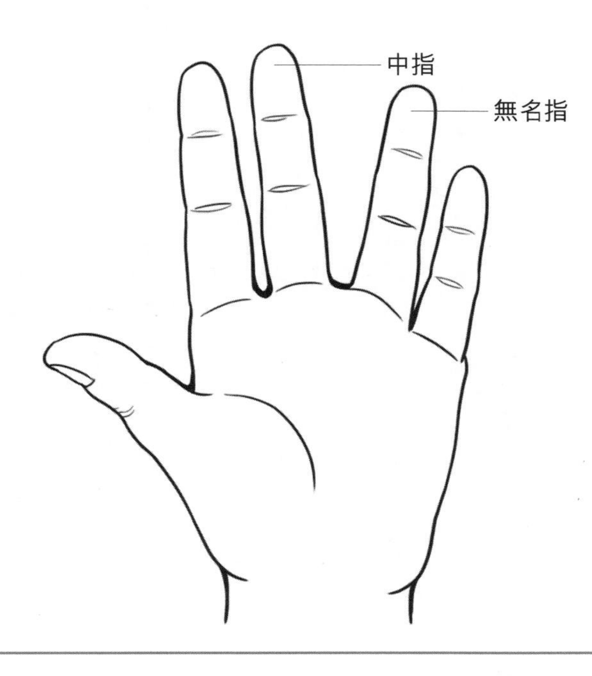

人要小心手腳會有問題，例如抽筋、鬆弱無力。左手如此則小心右腳有事；反之，右手如此則小心左腳有事。

手掌攤開時，手指仍然靠攏的人，多屬拘謹固執之輩、精神緊張之人。做事多一意孤行，不受勸諫。

食指與中指緊靠，主其人極端迷信。

中指靠攏無名指，主其人心胸豁達，遇不如意之事，亦能釋懷。

小指靠攏無名指的人，喜研究與藝術有關的學科。

肥與瘦

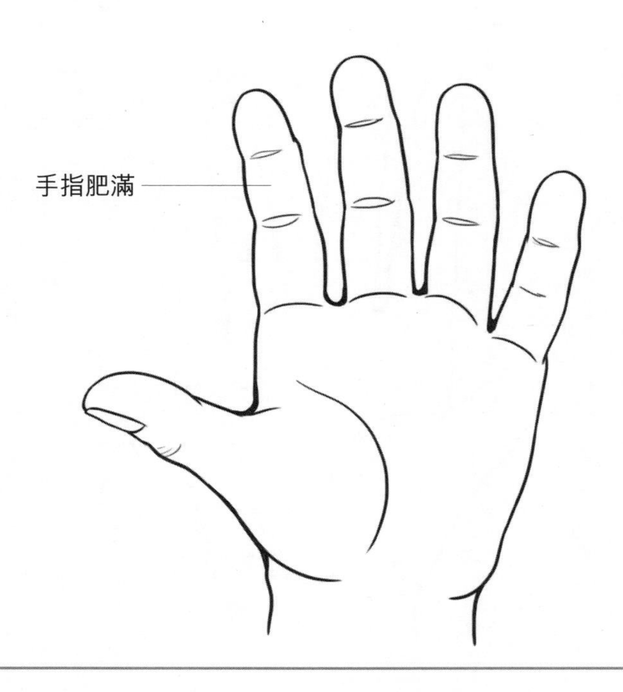

手指肥滿，主其人好逸惡勞，但凡事以中和為貴，此類指形最易得到糖尿病、高血脂、高血壓等都市殺手病。

手指瘦瘠，則人多吝嗇，縱是財主，亦是孤寒。此類手指，富於研究精神，多有發明。但手指瘦為血虛，較易得到貧血、結核之病。

各指不美而且彎曲，掌形又復醜陋者，主其人生性殘暴，有犯罪傾向，加上生命線上有方格紋，眉間有紋橫插入者，長與牢獄為伴也。

掌相精粹

心

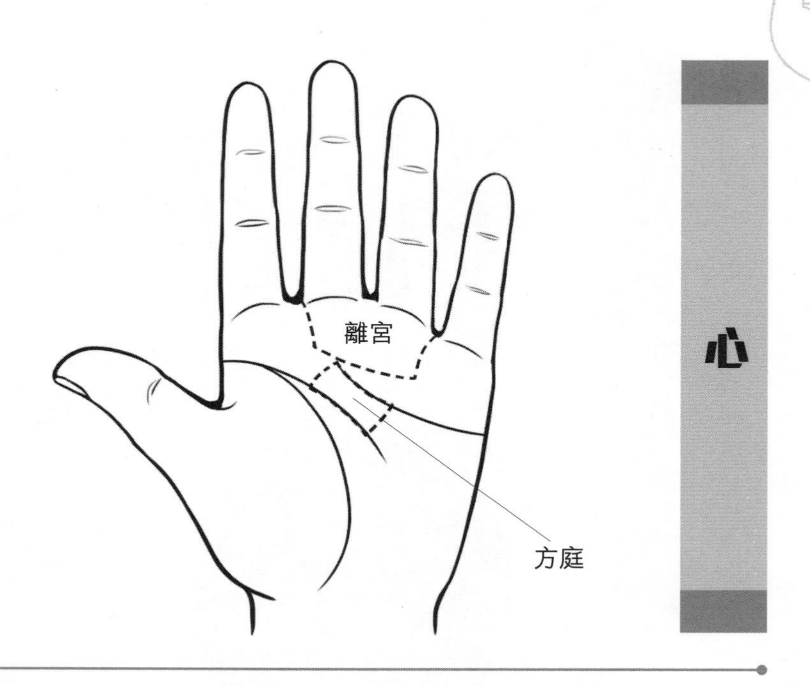

如要觀察心臟的毛病，就要留心兩個位置。第一個是離宮，第二個是方庭。

離宮在掌上八宮的篇章中已言及（見第28頁），此處不贅。方庭則是位於中指與無名指之下，感情線與頭腦線之間。

當方庭這個部位內出現十字紋，就表示此人會患上心臟病，例如心絞痛、心肌梗塞此類與冠狀動脈有關的病變。如出現米字紋，情況則更為嚴重。

在離宮內出現米字紋，亦表示心臟血液供應量出問題，有阻塞的情況。

肝

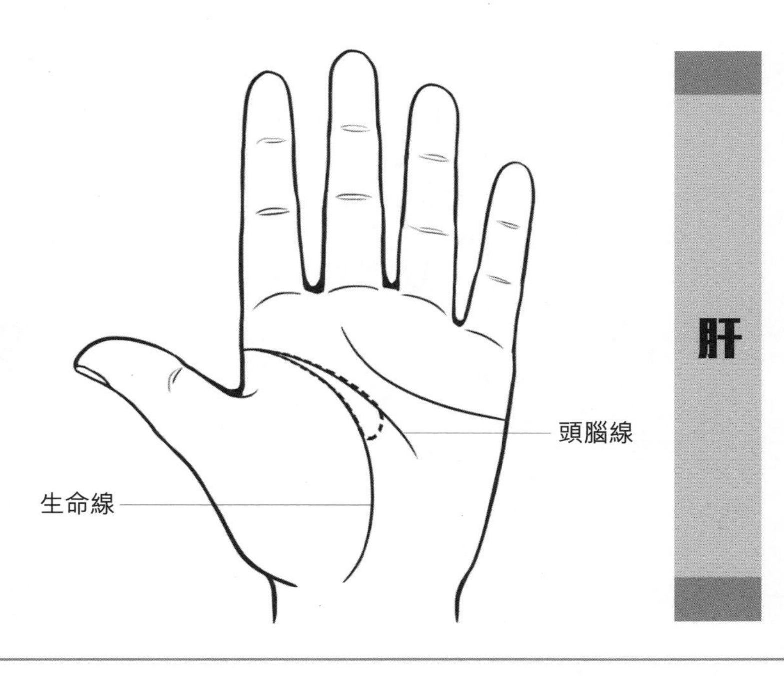

肝臟在手掌上所處於的部位是在中指對下、生命線與頭腦線之間的夾縫。

第一，要留心此夾角區的擴大或縮小，無論擴大與縮小皆反映肝臟已出了問題。

其次，要留心有沒有塌陷，如有塌陷，表示肝臟已衰退。

第三，留心氣色的改變，如變青紫、變暗滯、出現白色、黃色暗斑，便要提防。

此地方出現十字紋、井字紋、花生紋等等，都表示肝有毛病。例如肝炎、肝硬化、脂肪肝等。

脾

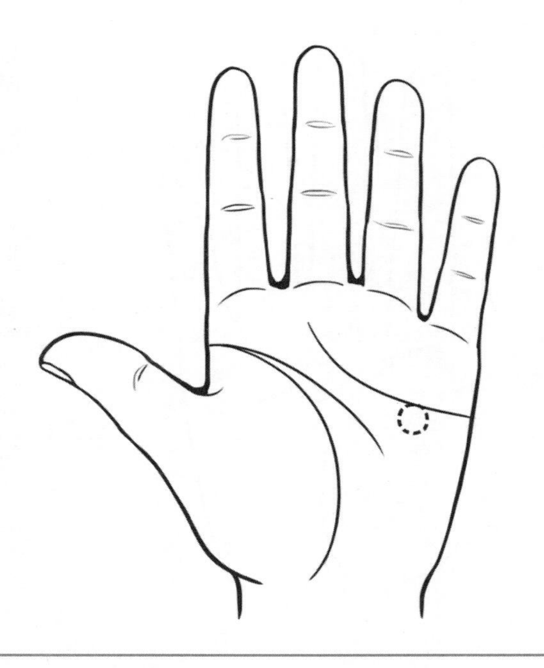

脾在中醫觀念是與食物吸收有關，是一個非常重要的內臟，如一個脾臟功能失常，人就會變得消瘦、貧血、吸收營養不足。

在西醫的觀點，脾則是與免疫系統有關，脾的功能失常，會導致免疫能力下降。

當此部位出現青色或白色的斑點、顏色變青或黃，要警惕是脾臟血液受阻，使脾發腫，我們可以輕輕撫按左邊最下肋骨邊緣，如有凸出物，應要及時延醫診治。

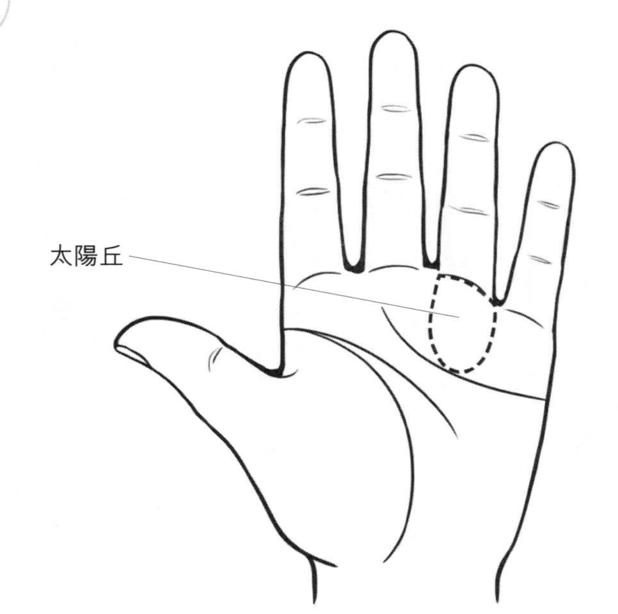

觀察肺部的病變要留意在無名指之下，即太陽丘的地方。

此部分如果出現凸起白色斑點、三角紋或方格紋、氣色暗滯，在此區下的感情線又出現鏈形紋，則有機會患上肺結核。

此區又屬於支氣管區，如出現鏈紋、島形、十字紋、米字紋，就表示此人很容易患傷風感冒、咳嗽、氣管敏感等毛病。

腎

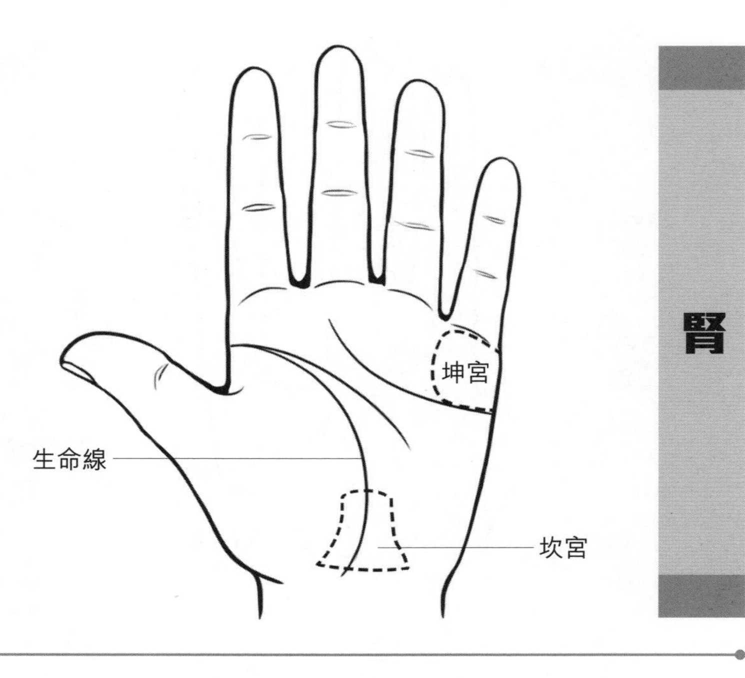

觀察腎有否毛病，要從兩個部分去觀察。第一，是在生命線近末端的地方，亦即坎宮的地方。第二，則要留心坤宮。

坤宮內出現的橫紋，叫做婚姻紋，亦叫性線，顧名思義，可以反映生殖功能，在婚姻線之上為子女線，更是性生活後實質成果的表現。中醫認為，生殖系統與泌尿功能及腎有密切相關。

在生命線近末端斷裂、消失、塌陷或出現米字紋、島紋，皆表示腎功能出了問題。同樣，在坤宮出現以上紋理，亦要警惕腎臟之病變。

胃

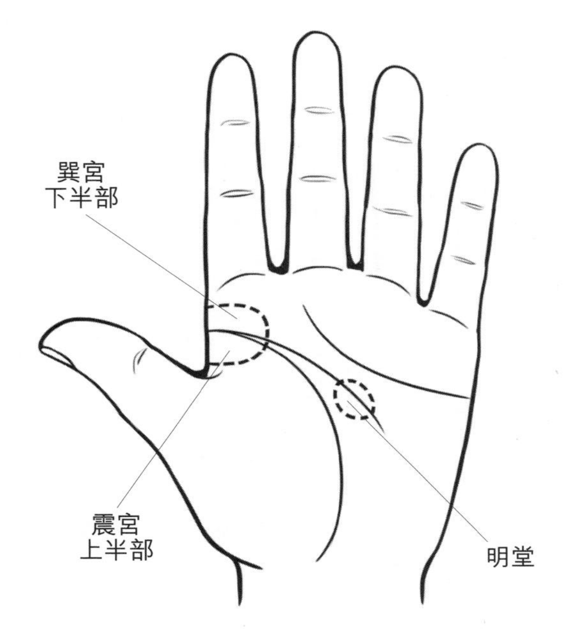

在手部顯示胃部有病的部位共有兩個，其一在巽宮的下半部及震宮的上半部；其二則在明堂部位、中指與無名指對下，頭腦線中末端的地方。

在此區域有十字紋、井字紋與紅白間的斑點，表示慢性胃炎。

在此區域出現米狀紋、島紋或紅色斑點，則會有胃潰瘍。

出現米字紋、方格紋或田字紋，表示胃部曾做手術。

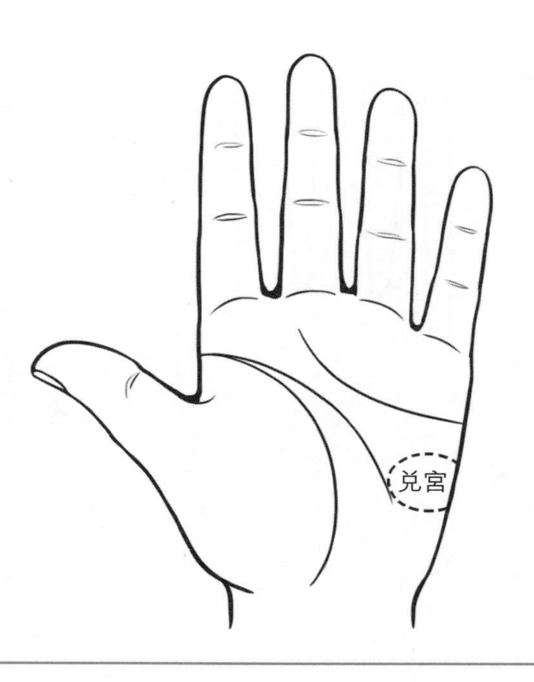

腸

觀察大小腸是否有問題的部位是位於手掌上兑宮的地方。

大腸是包括升結腸、橫結腸、降結腸、乙狀結腸、肛門直腸及蘭尾等部位。

在此個部位出現紋破、凹陷、暗滯、斑點、十字紋、井字紋，皆要注意大腸出現的患疾。

如出現米字紋，表示病情已較為嚴重；如出現島紋，更要考慮息肉或腫瘤，要高度留心。

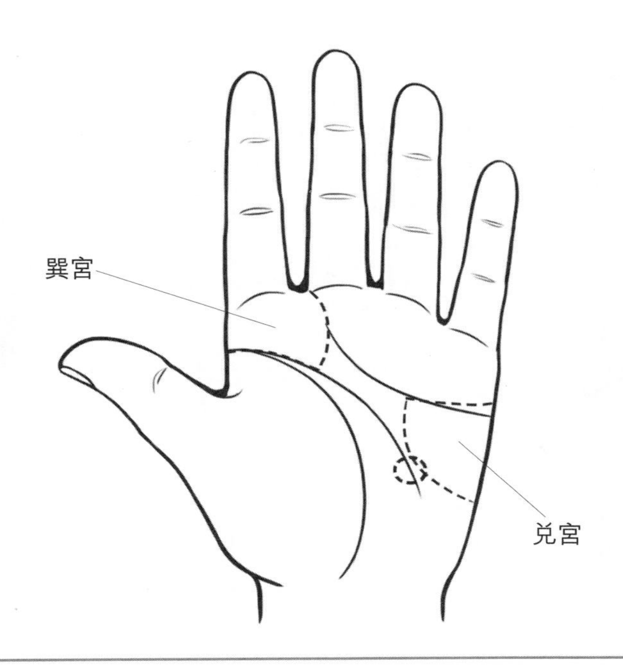

膽的毛病在手掌上有兩個部位可以顯現，其一是在巽宮，其二是在兌宮近頭腦線的末端。

在巽宮出現方格紋，在兌宮出現暗黃色斑點，要小心膽囊發炎。

如巽宮呈現凹陷，有田字紋、方格紋或米字紋，有紅、白色斑點，而兌宮亦同時出現米字紋，則要留心會生膽石。

如巽宮及兌宮皆有方格紋，表示會有膽部切除的手術。

膀胱

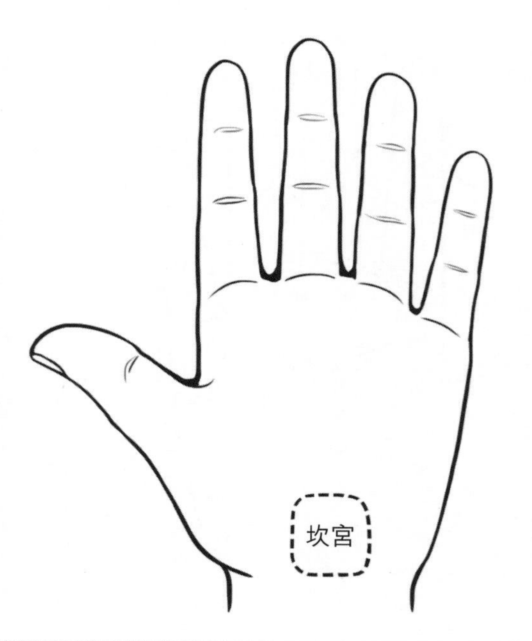

膀胱是五臟六腑其中之一，與腎臟的關係極之密切，故此如要知道膀胱的毛病，例如尿道結石或膀胱結石就要留心坎宮紋理、色澤、肥腴的變化。

如坎宮出現密集的短線、十字紋或島紋，就要留心膀胱出現了問題。

其次，坎為水，與女性的子宮關係極之密切，所有與子宮有關的疾病，亦會在坎宮反映出來。

掌紋篇

總論

認識掌紋，要從基本線開始。

如果要知道一個人的健康情況，體力的強弱，就要參考生命線。

如果要了解一個人的智與愚，則可用頭腦線。

要知道一個人的社會人際關係，對朋友、親人及愛侶間的感情表達形式，可看感情線。

要知道一個人在人生旅途上的際遇，是坦途抑或崎嶇，則從命運線（事業線）去觀察。

一個人的婚姻生活如何，一妻到尾，抑或要經幾段婚姻，會否成為鰥夫或寡婦，丈夫是否有婚外情，就要看婚姻線了。

結婚之後，會否開花結果，有沒有兒女呢？則可以參考子女線。

透過觀察以上各線，基本上已可解答人生路上所遇到的問題。但各位讀者要切記，還須配合手形、掌丘去綜合判斷的。

以上幾條線之中，以生命線、感情線、頭腦線三條線最為重要，故稱為三大主線。

生命線代表體力，感情線代表人緣，

頭腦線代表智力。試想想，一個人身體健康，頭腦聰明，人際關係八面玲瓏，會是一個失敗的人嗎？

但是三大主線是生長在手形上的，手形不美，三大線縱然優美，也必然減低三大主線的作用，不可不知。

認識基本線後，便要認識輔助線及符號了。

輔助線會加強或減弱基本線的力量。同樣地，符號的作用亦如是。大家要知道，符號與符號之間或符號與輔助線之間，是會縱橫交錯，用混合的形式出現，我們為了方便清楚表達，請各位讀者留意，每張繪圖只重點介紹那一條線或符號。

「巍巍天外天，毫光照大千」，在現實大千世界中，掌紋的變化何止千萬，所以書本是沒有辦法將所有掌紋繪畫下來的。故此，各位讀者要先去認識基本的東西，知其常，便可達變了。

我們在觀察掌紋時，要分清主次，取整體不取局部，取深不取淺，取大不取小。

例如，我們知道了每條線、宮位、手形的基本意義後，再加上輔助線及符號所賦予的意義，任何線的變化，都不能出其外了。

輔助線要留心是向上升，抑或向下降，一般而言，向上升多為好，向下降多為差。而符號則不論十字紋或星字紋等，皆以壓正線條上者最為嚴重，在線條兩旁緊貼者次之，離開線條稍遠者不在此論。

最後，大家就要掌握特殊線的意義了。所謂特殊，就是有其特別意義及具有獨立性，需要特別去理解，故謂特殊線。

這些線由於是有特別的意義，很多時是一種經驗之談，沒有辦法去理解其由來之意義，故只能靠大家的記憶力去強記了，幸好這類線並不太多。

掌相精粹

生命線

食指
1
2
3
$\frac{1}{2}$
木星丘
第一火星丘
生命線
手頸線
金星丘

生命線起於食指之下第一火星丘之處，約在食指第三節基線與虎口間距離一半的地方，向下伸延，趨向金星丘下部，近手頸線附近為末端。

很多人都以為生命線是代表壽命的長短，長則壽命長，短則壽命短，其實是錯誤的，是知其一而不知其二，知少少，扮代表，所以西諺謂 Little learning is dangerous，是至理明言。

生命線是主人的生命力，健康狀況的反映，生命線長，固然有長壽的希望，但不一定能長壽，因尚須有其他的條件才能決定。

反之，生命線短，亦不是代表短壽，

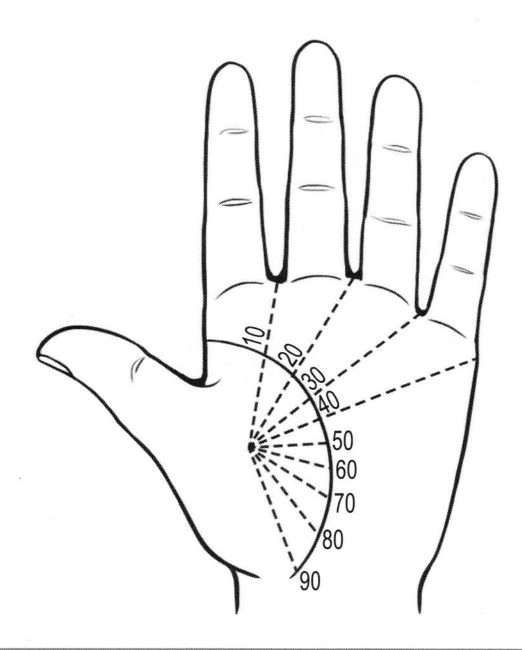

生命線的流年

必須有其他條件配合，才會發生。

所以生命線的長短，只是反映生命線優劣的其中一個客觀因素，而不是全部。

大體而言，生命線以弧形，包繞大拇指球，深長、明顯、顏色紅潤、沒有破紋、向下分支少為合格，沒有什麼特佳之狀，也沒有什麼不好之處，就一生很少病痛，即遇疾病，亦能有較強之抵抗力，身體免疫力好，很快就康復。

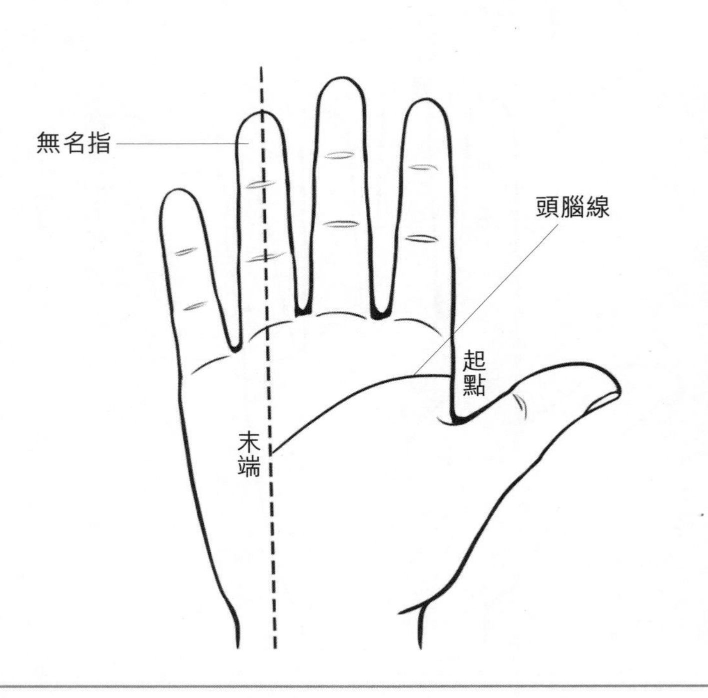

頭腦線

頭腦線的起點與生命線完全一樣，呈拋物線般向掌中伸延，多止於無名指的中線。但亦有不同源而出，但距離生命線很近，如距離很遠則成川字掌。

頭腦線又稱智慧線、理智線。

它與人的大腦及神經系統有極密切的關係，主宰思維能力，其重要性是全掌各線之冠，此線不好，其他各線縱然再優美，也是徒然。試想想，醫生宣佈人體的死亡，亦是根據大腦是否失去功能而決定。

反之，如此線好，則其他各線雖有缺點，亦可補救，甚至全盤的改善。

頭腦線的流年

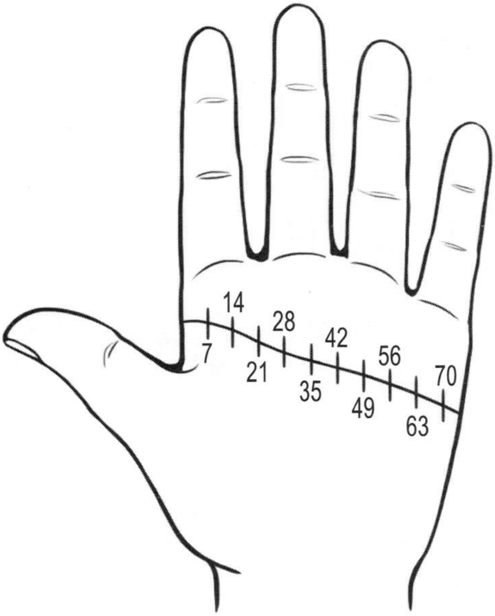

試想想，一個人沒有智慧，能夠做出什麼事？事業線雖然好，「冇腦」又怎能去運用，縱然送一個金礦給你，亦不懂如何利用。

所以，留意掌紋時應先觀察此線，確定其優劣之處後才看其他，方不會本末倒置，輕重不分。

頭腦線末端過於下垂者，多愁善感、憂思太多，很容易精神出現問題。

但頭腦線過於平直，卻反映此人腦筋不懂轉彎，頭腦固執。

頭腦線細、繁亂，多是胡思亂想，神經衰弱之人。

感情線

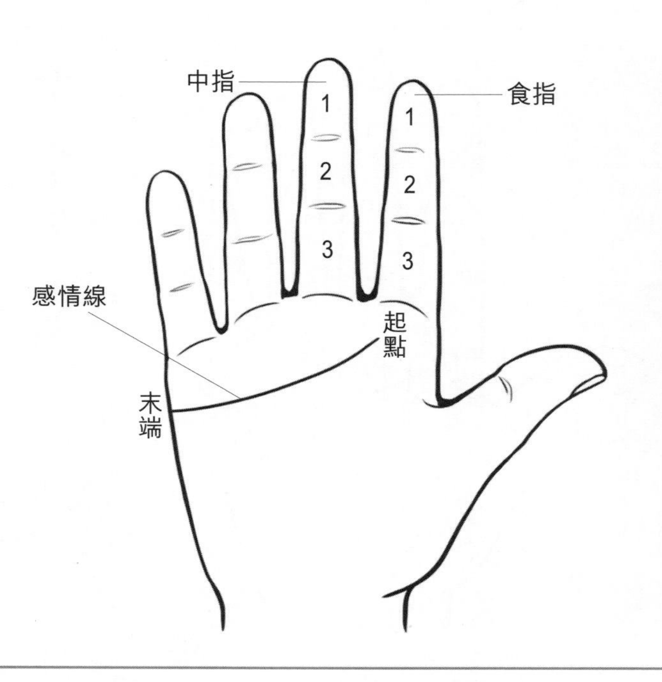

感情線的起端最為特別，是以近食指為起點，有些起自木星丘、土星丘甚或更短；亦有些起自食指或中指第三節的基部或兩者的夾縫；更甚者有些會起於食指下掌邊的邊緣，與頭腦線連成一線，變成斷掌。至於終端則在尾指對下手掌邊緣，此是感情線最特別之處，希望各位讀者留心。

感情線亦名心線。我們將此線與生命線、頭腦線並稱三大主線，大部分的人，一攤開雙掌，都會看到有三條特深極明顯的紋理，故以三大主線並稱。

感情線以呈弧形，深長、明晰、顏色紅潤，向下的分支少為正常。

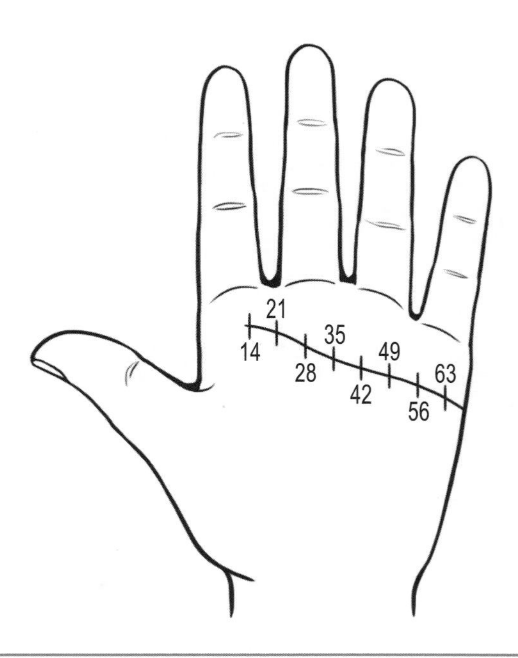

感情線是用來看人與人之間的感情活動，包括友情、親情及愛情，千萬不要局限於男女之愛情去理解。

看感情線的時候，應配合頭腦線一齊去理解，看看其人是感情支配理性，抑或理性去支配感情。

感情線清晰，少雜紋，感情生活穩定。過於直，則拍拖亦沒有情趣。過於雜亂，則感情豐富，到處留情。感情線上有鏈紋、島形、三角形等出現，必有感情煩惱，例如包二奶、三角戀愛等。

事業線

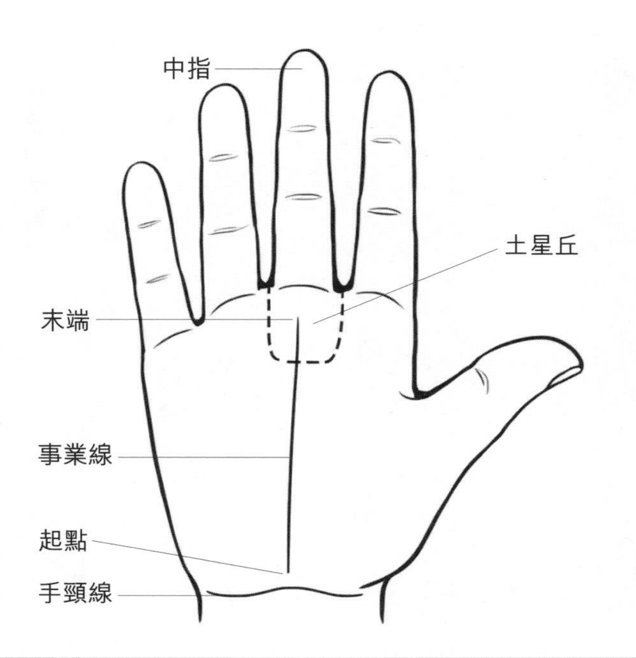

事業線的起點通常自手掌中間靠近手頸線的地方，然後向上往中指的基部走去，即土星丘的地方。

此線的起點有的不是從手頸的中央出發，但如果其末端都是走向中指，都是屬於事業線。

事業線又名命運線，讀者切不要因其名為命運線，以為命運之順逆全繫於此，而捨其他線於不顧，那就大錯特錯。因為有此線者，未必一定好；沒有此線者，亦未必一定壞，要兼手形及其他手紋結合而定。最主要還是上述三大主線優美無缺，即使沒有命運線，事業也一樣可以成功。

事業線的流年

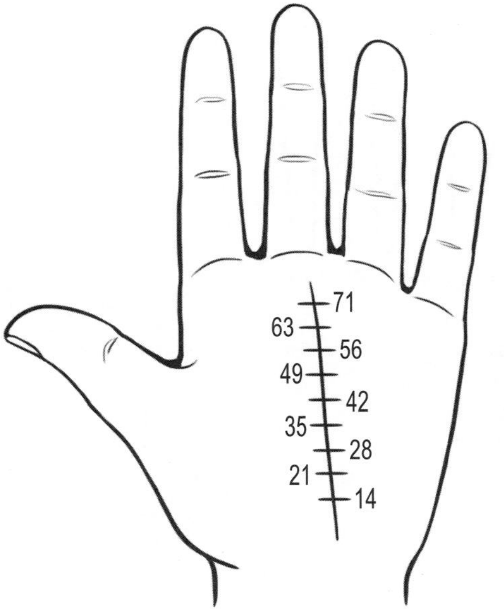

總而言之，事業線在掌紋上只是一個「大配角」，主要輔助三主線，如三大主線不良，縱使事業線優美，只是白白浪費，「嘥料」而已。

由於此線是輔從角色，所以不能如三大主線那般粗，最好是比較細而淺，筆直而上，明晰不斷，顏色粉紅，符合配角之身份，謂之合格。主一生鮮有拂逆之時，生活安定，無憂無慮，正是蘇東坡所說：「無風無浪到公卿」也。

但如此紋彎彎曲曲，斷斷續續，既闊且灰，則一生波折重重，勞勞碌碌，費力多而收穫少了。

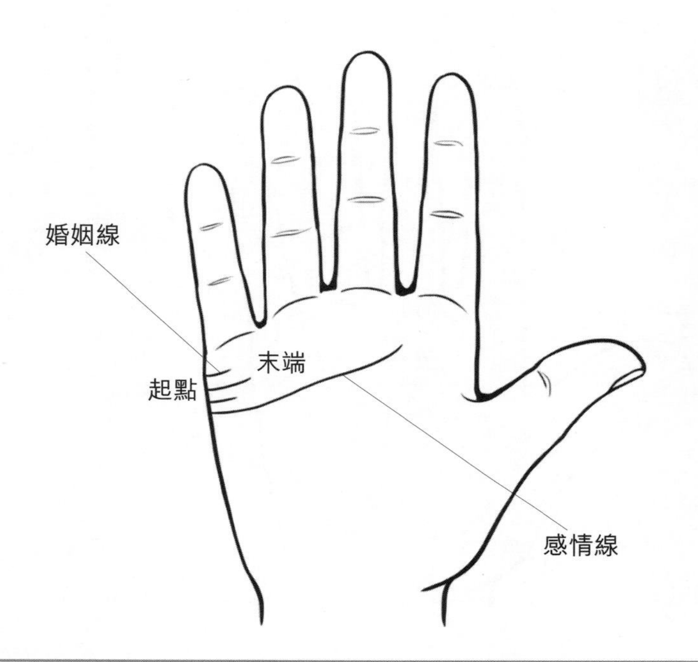

婚姻線

婚姻線是位於尾指之下的水星丘，亦即感情線之上，起點是靠近手掌邊端，橫向太陽丘伸延。

婚姻線，通常只有二、三條，但亦有些人可以多至七、八條的，是不是婚姻線愈多，則結婚次數亦愈多呢？

這倒不然，婚姻線的多少與婚姻次數是沒有直接關係的，不過婚姻線過多，通常四條以上，是指其人感情生活放縱，到處留情而已。

那麼，遇着這種婚姻線的時候，應該如何決定其婚姻問題呢？選擇其中一條最長最直最優美的便是，其餘的只是虛花而已，可置之不問。

婚姻線的流年

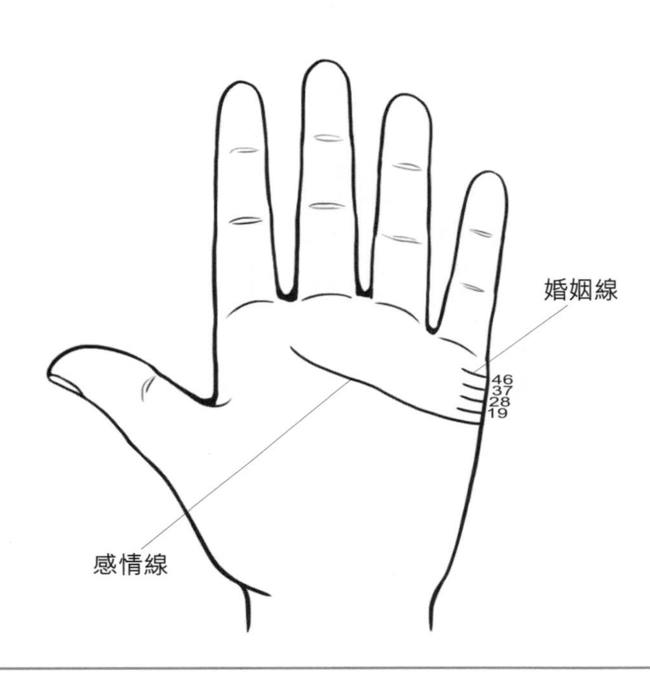

至於結婚的遲與早，如該直長而優美的婚姻線愈接近感情線，則愈早結婚，愈遲出現，則愈遲結婚，但仍須參考感情線、事業線與金星丘，方能作準。

婚姻線又稱性線，與泌尿系統及生殖功能有極密切之關係。

如其線短，且只有一條或沒有的話，女性為卵巢、子宮發育不良，男性則出現少精、無精或陽痿等。

如其線過長，直達無名指，則要小心患有腎炎或前列腺毛病，而聽力亦會下降，出現耳鳴。

子女線

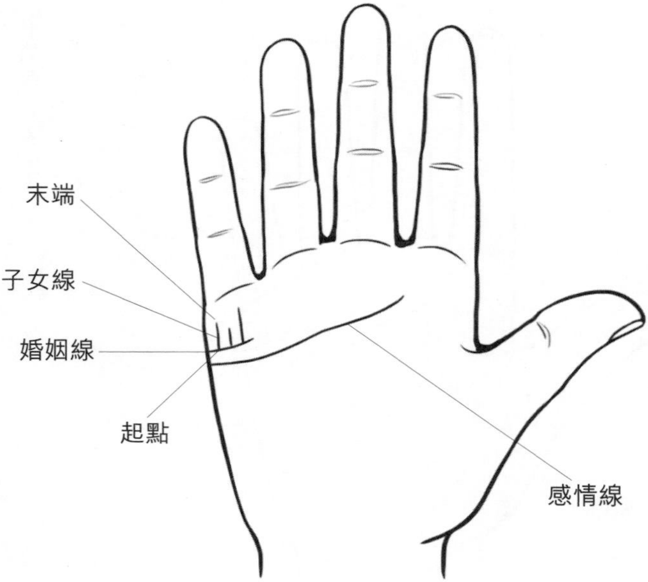

子女線通常是出現在婚姻線的上面，但與婚姻線上面的雜線是有所分別。

雜線多是黏附着婚姻線，看得出明顯是從婚姻線分出來的支線，其形狀亦多半是斜而不直，很容易看見。

但子女線則不一樣，雖然是出現在婚姻線的上面，卻未必是附着婚姻線，顯然有其獨立性，不是一般的雜線。而且若非用放大鏡去觀察，很多時都很難發現，這正是觀察子女線最難之處。

而子女線的多寡，並不代表子女的多寡，子女線多只說明其人有家庭責任感而已。子女多寡，應從如下幾方面觀察：

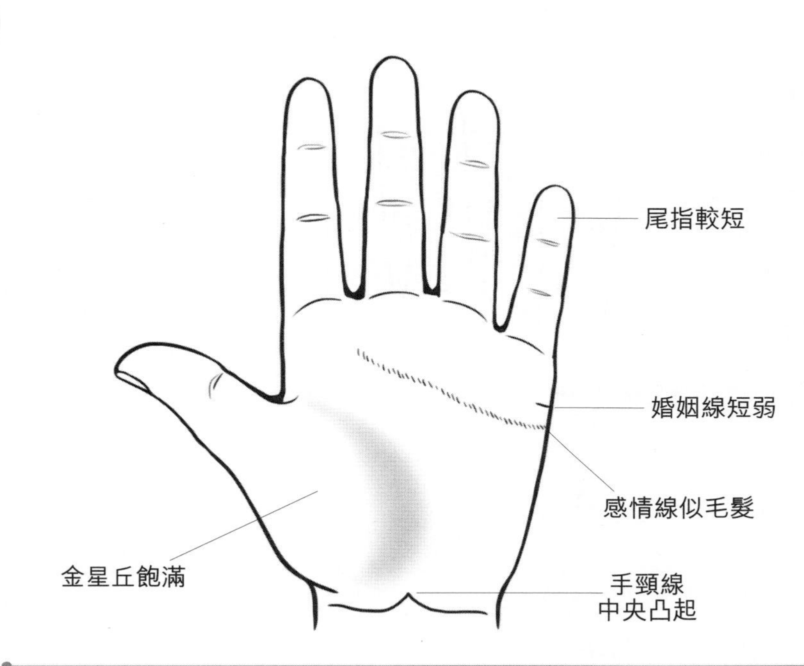

一、金星丘飽滿，表示性慾強，兒女自然有機會較多。

二、尾指較短，第二、三節脹，先天不足，卵巢及睪丸有問題，較難有子女。

三、婚姻線又稱性線，只有一條很短弱或沒有婚姻線，女性多為生殖系統發育不良，男性則見陽痿，少精或無精。婚姻線短弱或沒有婚姻線，是代表難有婚姻，故沒有兒女是正常之事。

四、感情線似毛髮，在小指基部出現鏈形，主兒女少，甚至沒有。

五、手頸線的中央凸出如弓狀，是主不易生育兒女。

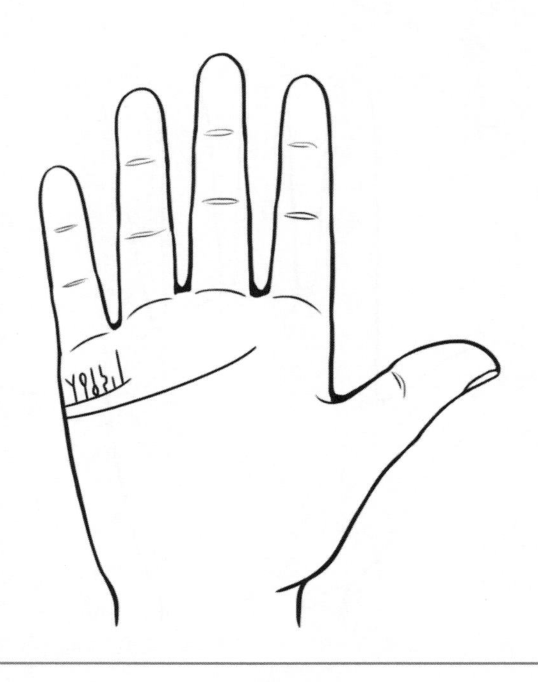

子女線直而壯，表示生男。軟弱而小，表示生女。

子女線彎彎曲曲，表示子女多病。

子女線起點有島形，表示子女難養；末端有島，子女終會夭折。

子女線末端開叉，線條明朗，是主雙胞胎。

掌相精粹

輔助線

方格紋

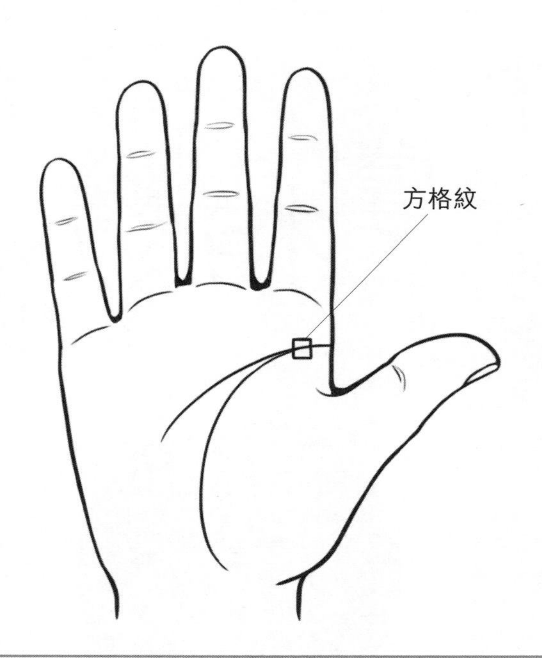

「岳飛，字鵬舉，生時，有大禽若鵠，飛鳴室上，因而為名。未彌月，河缺內黃，水暴至，母姚氏抱飛坐巨甕中，沖濤乘流而下，及岸，得不死。」

此段文章是記述宋朝名將岳飛在嬰兒時曾遇水災，母親抱住他坐進巨型瓦缸中，順着水沖至下流，才避過一劫，得以保存性命。

在掌紋學上，但凡在線條上出現有方塊，就對此線有很大的保護力量，逢凶化吉。出現在生命線上，就有保護生命的意義，例如需要做一些危險性高的手術，都能安然渡過。

花星紋

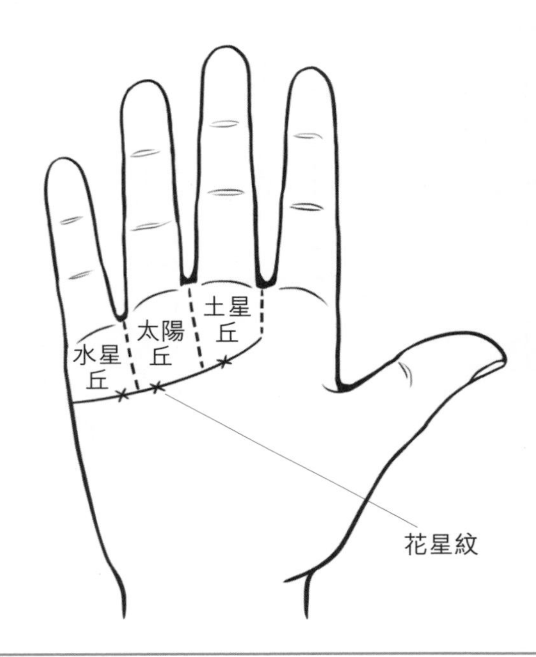

「天邊一顆小星星，海邊一顆小星，或聚或現，閃爍不停」，情景交融，真是美麗。

但是如果在手掌上出現花星紋，則不是令人賞心悅目之事。在感情線上出現花星紋，則是身體出現毛病的訊號。

如花星紋是在水星丘之下，則要留心泌尿系統的毛病，例如腎炎、尿道炎、膀胱炎。

如出現在太陽丘之下，則要留心眼部疾患或者會患精神病。

如在土星丘之下，則要留心循環系統的毛病，例如血管與心臟。

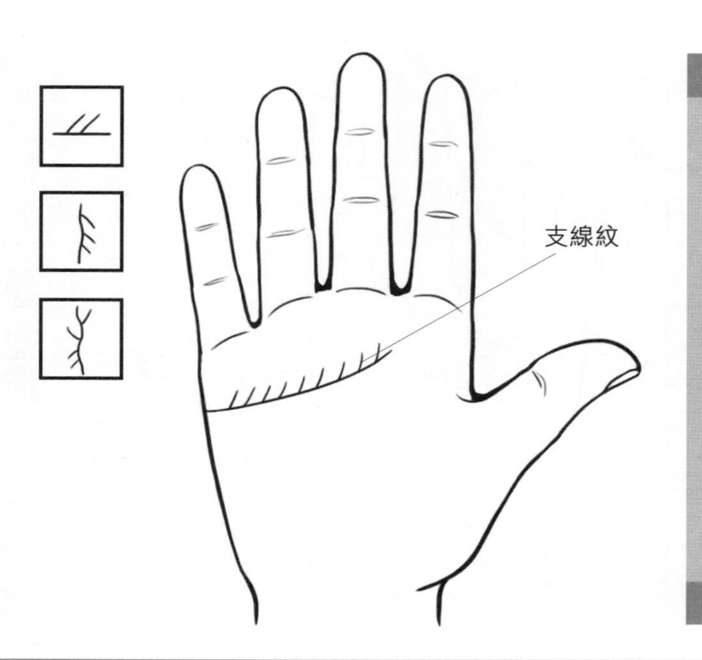

支線紋

支線紋即在主線旁分出支線，如向上者表示會加強該主線的力量。

例如在上圖例子中，有很多支線在感情線上向上伸展，表示該人之社交能力極強。

反之，如果在感情線向下分出很多支線，則其人感情觸覺豐富，喜追求愛情烏托邦，但易因小事而神經緊張，處事處處過於為他人着想，欠缺自我，往往得不到他人之欣賞。

鏈形線

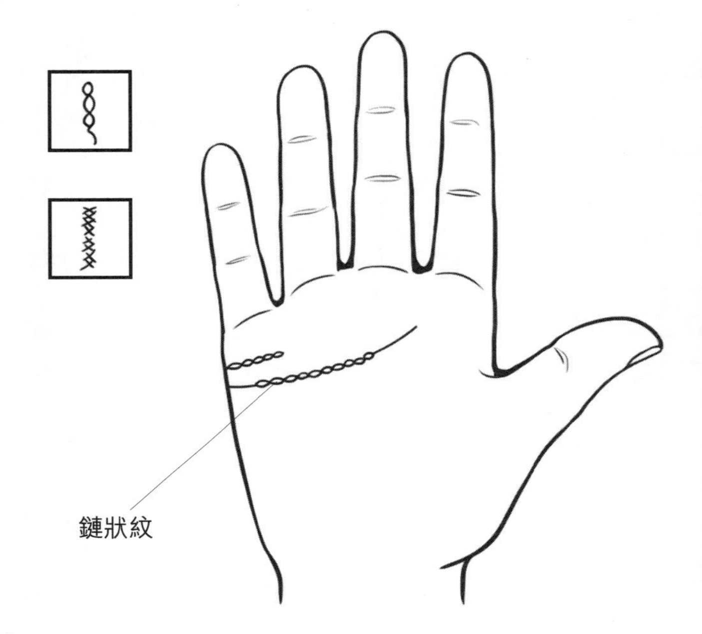

正常的手掌紋理，都是由線構成，但鏈形線卻由許多不規則的小圓圈與很多縱橫交錯的短線所構成，全條線駁雜不純，凌亂無章，看其構成與組合，已知不吉。

如感情線呈鏈狀，代表其人體質虛弱，會有心臟病，尤其是該人有三白眼或四白眼，更靈驗。

感情線呈鏈狀，亦主感情困擾及嚴重精神衰弱。

男性左手婚姻紋呈鏈狀，代表其人寡情薄倖，是現代陳世美，婚姻生活並不理想。

方格紋

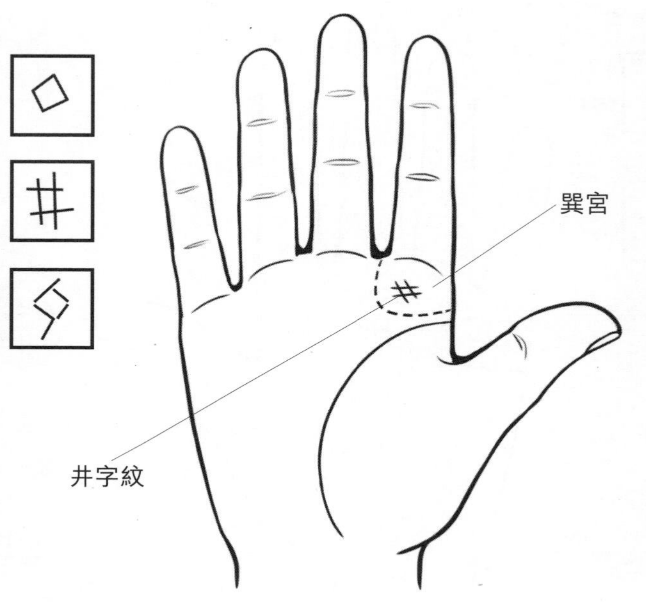

方格則如四壁，有困之意，所以在生命線之旁出現方格，表示生命受困，會在監牢中過活。但紋要活看，我曾看過一人手掌有方格紋，都是一生被困，但是被困在電梯內，因他是「揸車」的。

但其實方格紋是有其更重要的意義，是有保護線的作用，例如生命線斷開，在其斷開處出現方格，表示生命有危險而有救。

如果在食指下之巽宮出現井字紋，巽宮亦是財帛宮，表示財源不絕，一生有錢用。

不測線

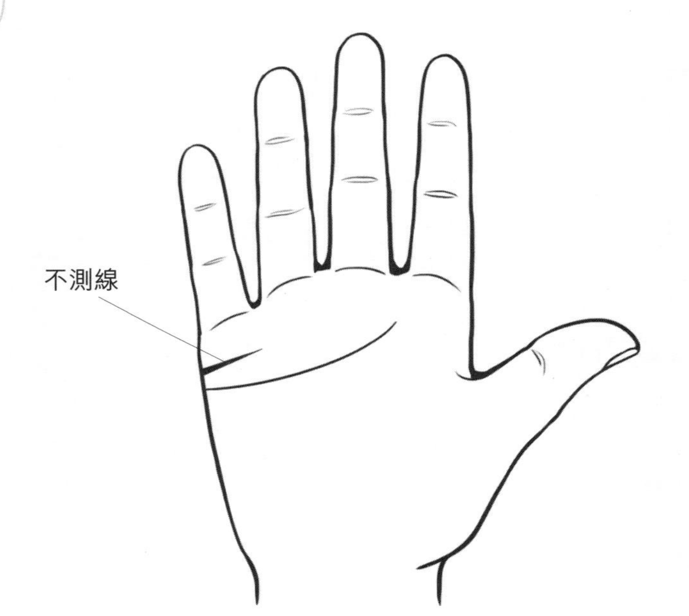

「天有不測之風雲，人又豈能料乎」。

偏偏人為萬物之靈，經過無數的觀察、經驗的累積，在手相紋理上找到不測線，讓人得以避之。

不測線的特點，是頭粗尾幼，而多是出現在婚姻線之上。

在男性而言，如不測線出現在右手之婚姻線，表示婚後太太會因意外而過身，如出現在左手，則表示婚後自己會因意外而去世。女性反之論斷可也。

流蘇線

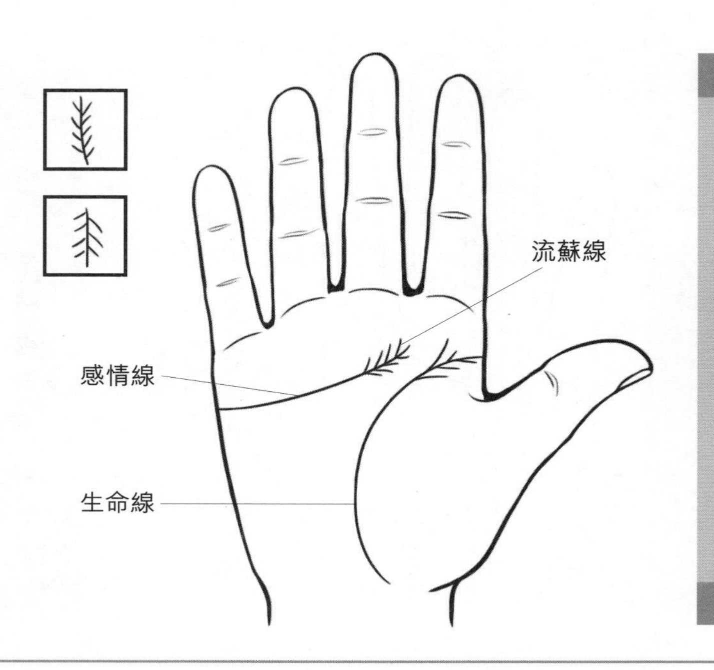

在主線的開端或終點處向左、右長出許多分支的短線來，此謂之流蘇線，是會削弱或破壞原有主線之力量。

此線在感情線或生命線上最為多見。

例如上圖流蘇線便出現在感情線的起端，主其人沉迷於色慾及陷於感情的煩惱，引致身心極之疲累，不能自拔，「多情自古空餘恨」也。

如在生命線的開端出現流蘇線，此人與醫有緣，但並不是表示其人懂醫術，而是此人童年的體質很差，與「藥煲」無異，終日與醫生為伴也。

叉狀線

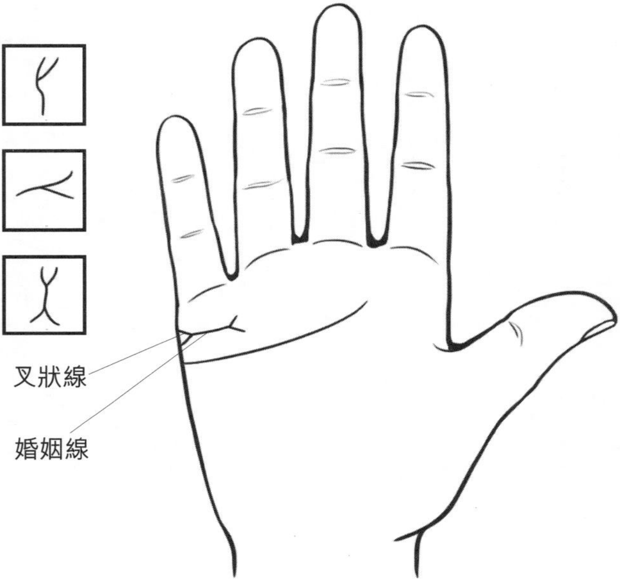

叉狀線

婚姻線

叉者，分支、歧路也。將原來的統一性帶到分歧的道路上，顧名思義，已知此線帶來的意義，屬於不吉。

分者，亦為分開的意思。假如出現在婚姻線的末段，則最終要分開，即離婚之意。

如果分叉出現在婚姻線的開端，則好事多磨，婚前必經多番波折，例如父母反對，又或者因「風暴」而取消，總之是多災多難。

但婚後結局如何，就要看婚姻線後段的走勢。假如是一條直線，則可以白頭偕老；假若是開叉，總屬離婚收場。

三角紋

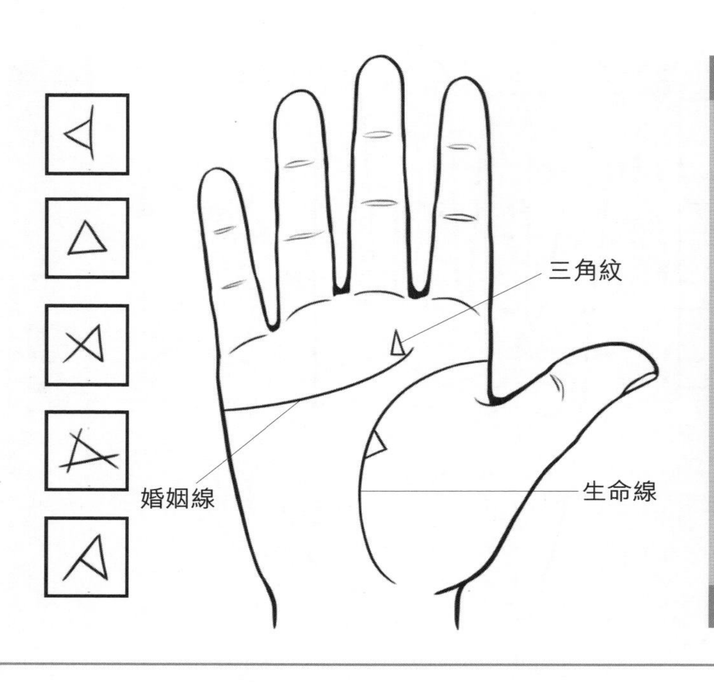

「三角關係」這名詞，多泛指男女間感情事錯縱複雜，糾纏不清。

但如果在手相出現三角紋，則與三角戀愛無關，它的出現，多主吉，只有極少例外主凶。

假如三角紋出現在感情線上，是表示得到配偶或異性朋友很大的助力。

譬如男性左手感情線優美，而右手的感情線上出現三角紋，表示太太是一個賢內助，無論在家庭或事業上，都能給予有力的幫忙，俗稱「旺夫」是也。

但如果三角紋黏生命線上，就非佳兆，是主有手術。

斷續線

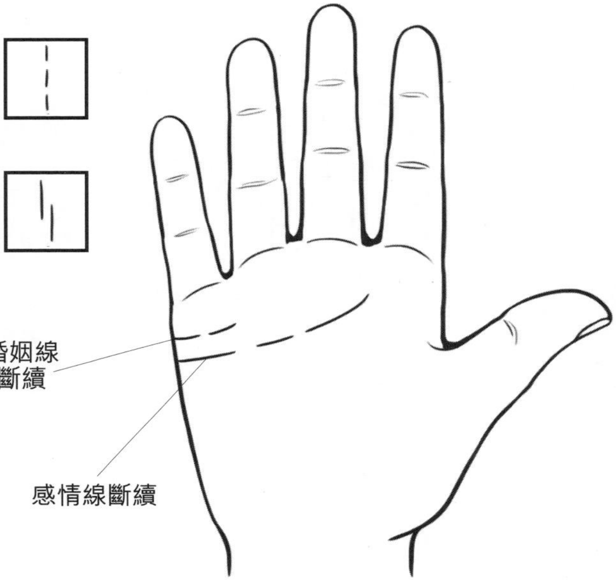

手掌上的紋理，以完美無缺為佳，最基本的要求，是沒有斷開。

試想想，假如路軌斷開，列車必會出軌，服務就會中斷。

假如感情線如上圖般斷開，主人際關係不穩定，感情屢受沖擊，難有美滿的婚姻。

假如連婚姻線亦斷開，則婚後夫婦反目成仇，佳偶變怨偶，最終以離婚收場，所謂：斷斷續續，情難繼續。

但如果主紋有斷，而靠這條斷續紋駁回，這紋卻是一條好線。

水波線

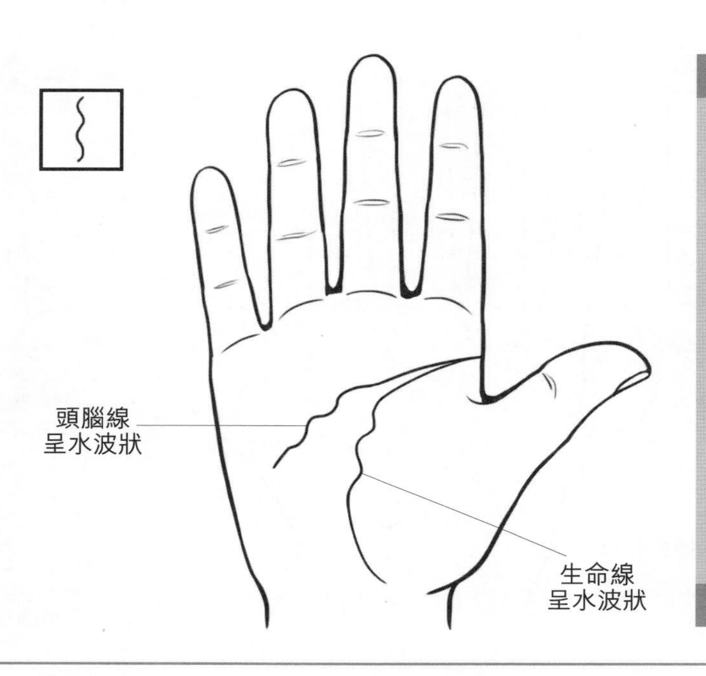

手掌上的紋理，皆以端正為佳，假如該線表現為彎曲不直如水波曲線的面貌，說明該線原有的力量被破壞或減弱。

如上的圖例，在生命線的中段出現水波狀的樣子，說明生命線的完整性受到破壞，表示健康狀況出現問題，但發生在哪一個流年，則要在面相上去找答案。

例如有水波線出現在生命線的中段的女性，其面相眼神虛浮，顴眉相爭，人中歪斜短縮，則在眼的流年部位要慎防產厄。

如在頭腦線出現水波，主腦細胞受損，容易有羊癇之病。

十字紋

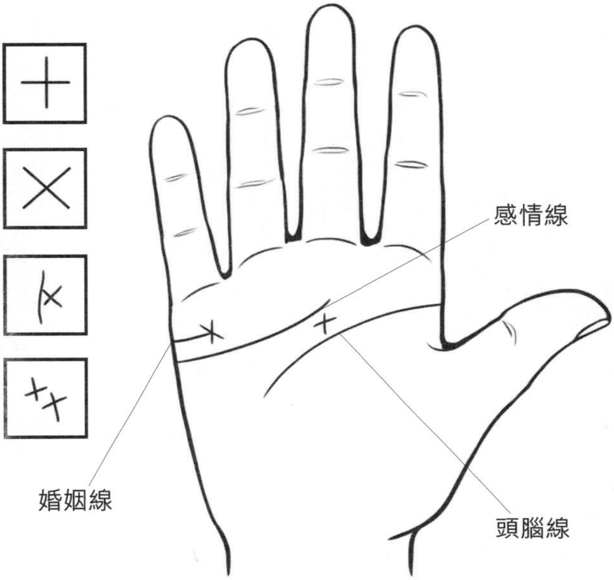

十字架、十字車，無論在東方與西方，皆蘊含有不吉的意思，將十字斜放，則成為「╳」，有不容許、不准許的意思。

所以，在手掌上出現十字紋，無論在任何部位，多主不吉。

如在婚姻紋末端出現十字紋，主配偶因意外而猝死。如黏在頭腦線，就有腦科疾病。

如落在中指對下，感情線與頭腦線之間的位置，則名為第六靈感紋。可從事醫、卜、星、相的行業。

姊妹線

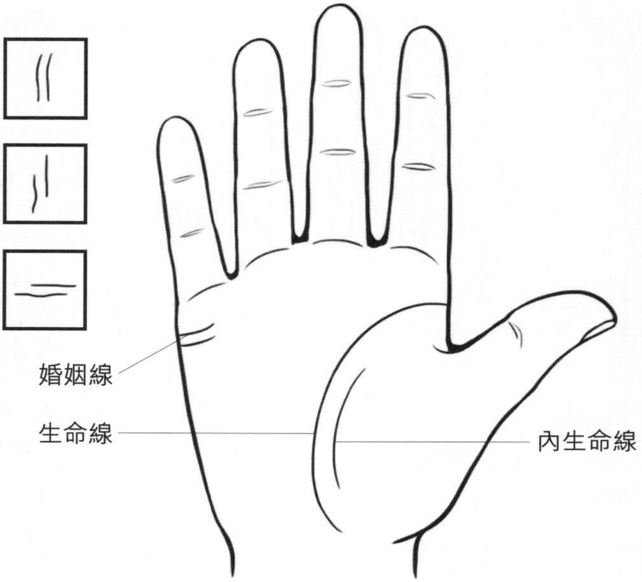

頗多手掌有此類的紋理出現，即在主線旁另有一線，與主線平行，例如雙重生命線、感情線或婚姻線。

此線無非是加強主線的力量而已，如主線沒有缺陷，得之則增加主線之力量。如主線有缺點，例如中斷或破裂，則可彌補主線之不足，稱之補鑊線亦無不可。

例如上圖，生命線完整無缺，在其旁再生出一條線來，平行而走，稱為內生命線，表示此人生命力極強，體質極佳。但如出現在婚姻線，則會有三角戀愛。

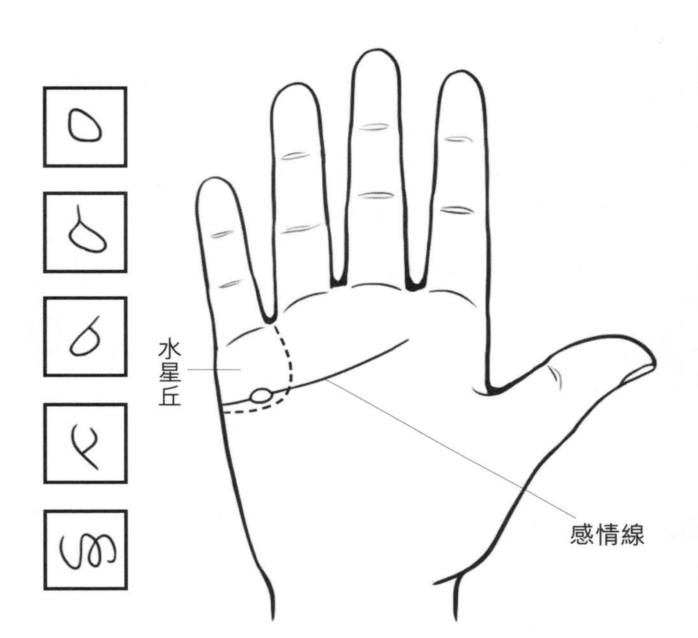

香港是一個小島，但卻光耀奪目，經濟成就驕人，被譽為「東方之珠」。一個小小島嶼，竟然散發着驚人的影響力，極之難得。

但可惜，如果在手相上出現小島，就不是一件好事了，十居其九都非吉兆。但凡島形出現的地方，該處線紋的優勢，都為破壞殆盡。

假如島形出現在感情線的起點，即在水星丘的部位附近，此人的泌尿排泄系統就有問題，特別與腎臟有關。女性見之，就要提防婦科疾患，例如子宮肌瘤、子宮頸癌。

斑點紋

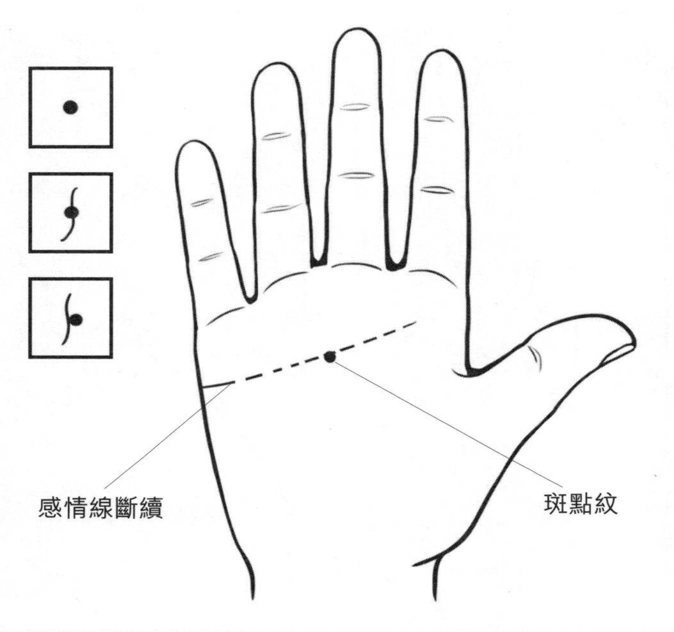

斑點出現在狗的身上，有時是可以帶來好運，例如斑點狗已成為狗明星，身價不菲。但有識狗之士告訴我，此類狗隻，反叛性很強，並不容易飼養。

但如果有斑點出現在我們的掌相時，並不是一個好現象。

面無善癦，已經說明一切。如在手紋上出現，同屬不吉，斑點愈大，凶性愈重。斑點白色，間或無礙，但黑色則絕無佳兆。

例如有斑點出現在感情線上，而感情線又斷斷續續，則要留意有心臟病，可因心肌梗塞而突然死亡。

掌相精粹

特殊線

幸福婚姻十字紋

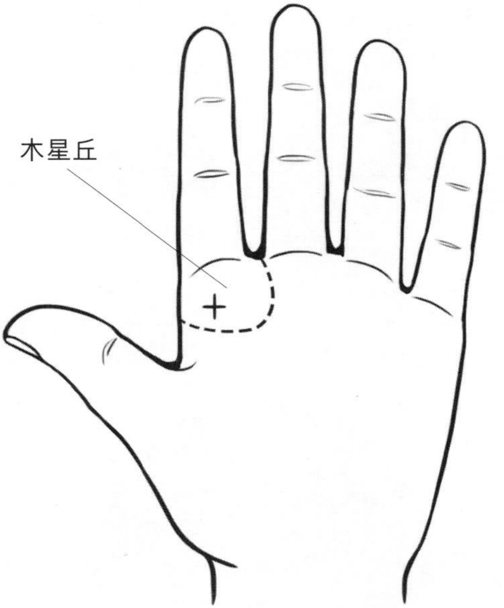

俗語有云：「只羨鴛鴦不羨仙」，佳偶天成，白頭偕老，誠是人生美事。但從手相上如何追踪這對主人翁呢？

在手掌上尋找幸福婚姻十字紋可也。此十字紋是位於食指指節之下，即木星丘的位置。

擁有此紋者，婚姻幸福美滿。但除此之外，當然還須兼看婚姻紋是否完美無瑕，有沒有其他紋理將其破壞，例如開叉、折斷、有島紋等等。

另外，還得要看看眼神，是否帶有憂憤怨恨或閃露凶光。假若沒有犯上以上的缺點，則閣下會擁有美滿的婚姻生活，可以預卜也。

財富線

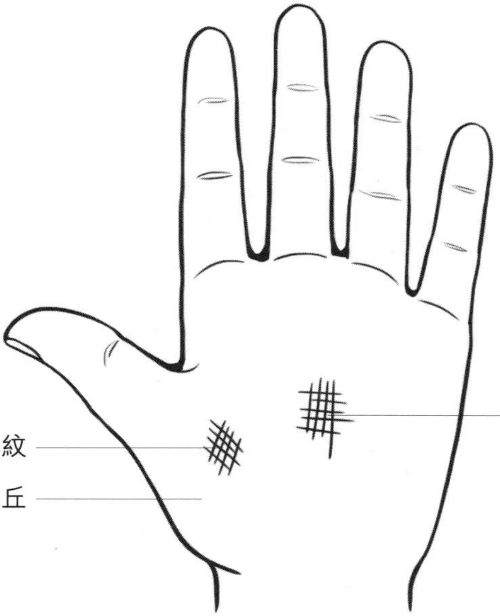

財富線，即網狀格仔紋，出現在大拇指之下方，金星丘的所在地，即俗稱「雞髀位」之處。

此紋理的出現，主進財富。

但如果此紋在明堂（即手掌中央）出現，則不是閣下的福氣，因為你要趕快找泌尿科或性病科醫生檢查一下，看看是否染上梅毒。

兩者分別不可謂不大，故學習一門專業，必須要概念清晰，否則貽笑大方。

旅行線

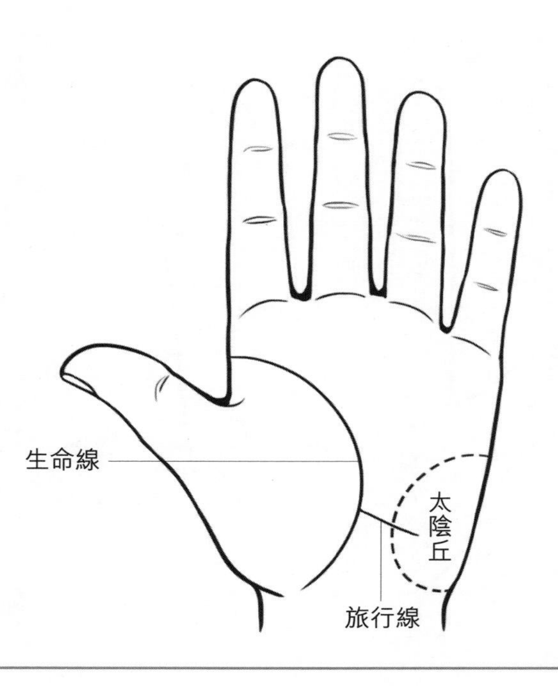

「五嶽尋仙不辭遠，一生好入名山遊」，可見詩仙李白，足迹踏遍不少名山大川。

你是否一個旅遊愛好者呢？或者能否成為一個足迹遍天下的旅遊家呢？首先就要驗名正身，看看有沒有一條旅行線在你手中了。

旅行線在哪裏呢？

它就在生命線下方之處，斜斜向下伸長一條線，往太陰丘走去。

擁有此線者，是一位旅遊狂熱愛好者，加上如果驛馬高聳，必然喜歡孭着背囊，到處流浪之士。

寵愛線

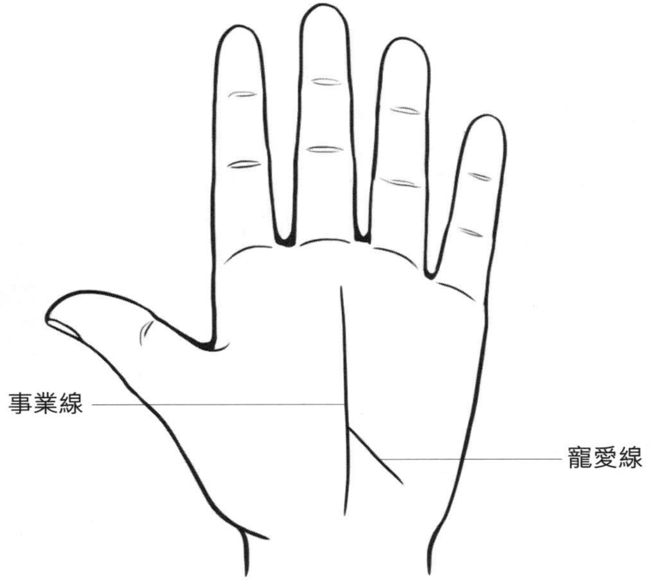

萬千寵愛在一身，相信是每個人之願望。

作為一個電視藝員或電影工作者，欲要名成利就，廣受歡迎，本身演技好當然需要，但更重者是有沒有觀眾緣，合觀眾眼緣者往往能一炮而紅，事半而功倍。

尋明星夢的朋友，趕快到手掌中尋找你／妳一生的希望。

寵愛線位於事業線起端的地方，在主線旁開一條分叉線便是。

順便一提，從政或參與民選的朋友，擁有此線也往往較易成功。

直覺線

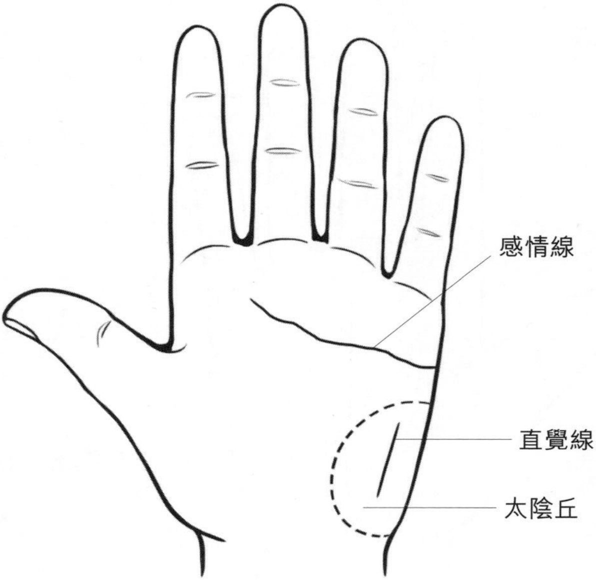

所謂直覺者，就是指「第六靈感」，是從事掌相、命理、占卜及風水者必須具備條件之一。

當然，一些藝術工作者如能具備此線，創作的靈感亦會源源不絕，例如作曲家、填詞家、畫家、詩人等等，但凡在這個行業出類拔萃的人，都必須擁有。

此線是在手掌的邊緣，感情線的下方，即太陰丘的位置，與手掌的邊緣並行。

疲勞線

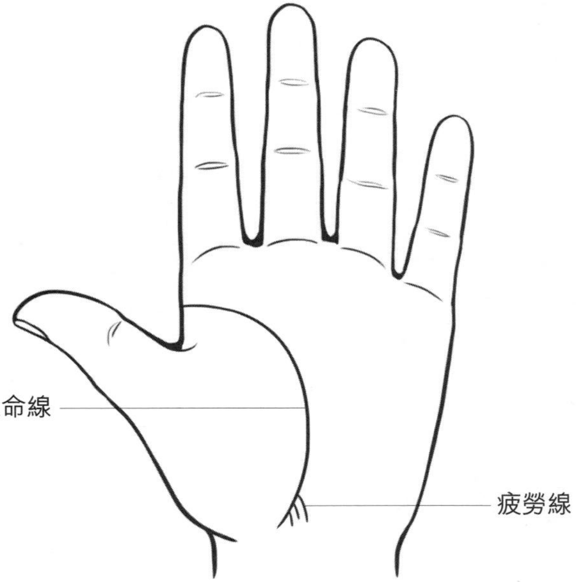

生命線

疲勞線

西諺有云：「Burn the candle at both ends」，而中國成語亦有一句近此意義的，叫「焚膏繼晷」，意思是日以繼夜地工作，所以體力消耗極大。

香港人以拼搏出名，尤其是經濟現處於谷底，薪金下降，很多人為保生計，都一身兼多職，好似一支蠟燭在兩頭燃點一樣，體力透支到極，不知各位曾否記得最近一位小巴司機，因為日間身兼多份工作，晚上還去駕駛小巴，結果突然猝死。

疲勞線是出現在生命線的末端，有多條向下分叉線便是。如見此線，定要小心健康。

三橫線

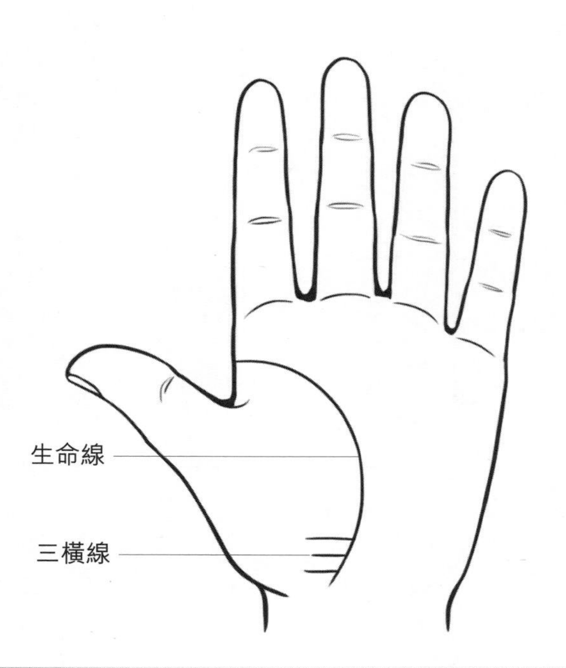

在生命線末端有數條向下的分叉紋就叫做疲勞線，但如果是出現三條橫線，其意義又不相同。

俗語有云：「行船跑馬三分險」，如果男性出現此紋，主會犯水險。如果耳上有癦，更加靈驗。

另外，如果在田宅宮有癦，則在家中也會犯水。

至於女性在掌中出現三橫線，則防小產。如相格上屬於「顴眉相爭」，更加要小心。

想知何謂「顴眉相爭」，請翻閱《掌相精粹》中卷第114頁，便知分曉。

人緣線

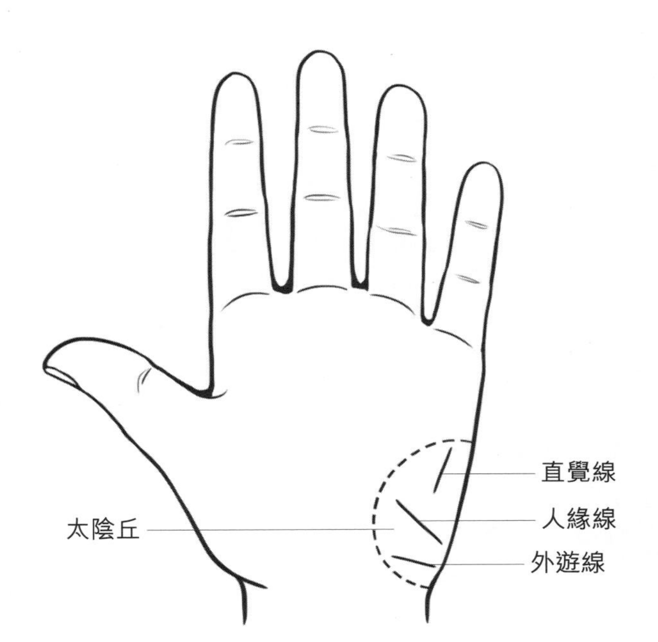

「長袖善舞」是形容一個人做生意手法靈活，人際關係好，善於經營。

俗語有云：「在家靠父母，出外靠朋友」，可知人生處世，無論營商或社交，都需要建立一個良好的人際關係網，尤其是從事公關行業的朋友，你是否一個八面玲瓏的人，首先要看看你手上是否有一條人緣線。

此線是在手掌邊緣下部，即太陰丘所在，在直覺線之下，外遊線之上，由掌邊向掌心斜斜向上伸出便是。

悲傷紋

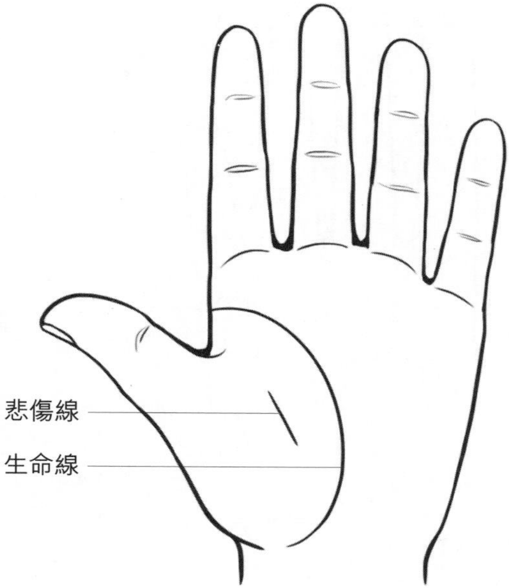

「多情自古傷別離，更那堪冷落清秋節，今宵酒醒何處，楊柳岸，曉風殘月。」此是大詞人柳永的名句。

一段刻骨銘心的愛情，不單心中留痕，掌紋上亦會有迹可尋，假如和愛侶有過一段刻骨銘心的愛情，但結果是對方因病或意外而死去，陰陽永隔，造成沉重的打擊，就會出現悲傷紋。

此紋是在金星丘內，即大拇指下俗稱「雞髀位」的地方，出現一條深刻的縱線就是。

人生有時是無奈的，最重要是積極面對。

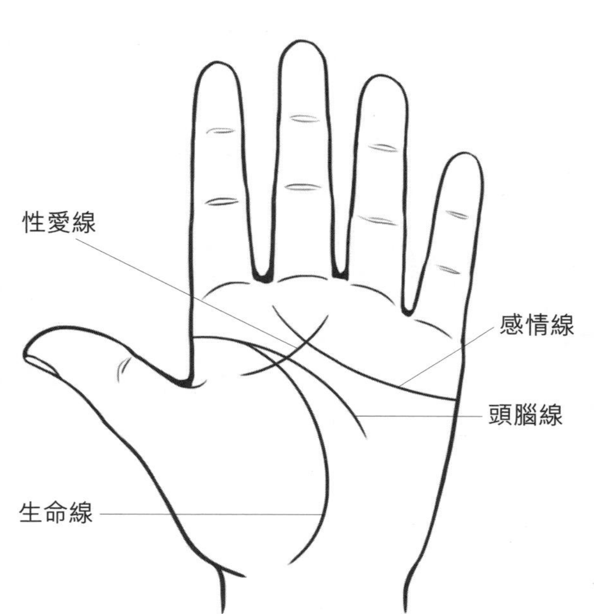

性愛線

有些人嗜財如命，是一毛不拔的守財奴，有些人卻嗜賭如命，無賭不歡，縱然傾家蕩產，也不惜一賭，總之都是在一個「癡」字。最近醫學專家證實，嗜賭原來是一個病，可以用藥物去治療。

但另外有一種人，卻嗜性愛如命，即俗稱性慾極強之人，所以我們在選擇伴侶之前，最好先看看對方有沒有此條線，當然，如果自己也是同道中人，就是佳偶天成。

性愛線是由金星丘伸延往土星丘，橫跨生命線、頭腦線及感情線三條主線。金星丘飽滿者更驗。

努力線

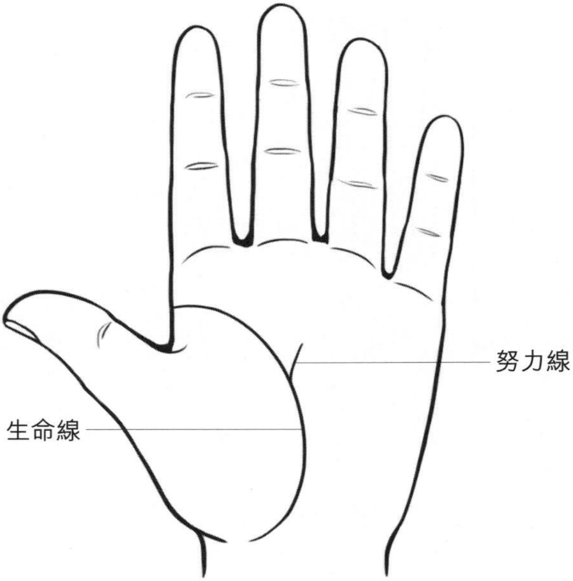

「命運是對手，永不低頭」，這是電視劇集《阿信的故事》主題曲其中一句歌詞，很有積極人生的意味。

如在手掌中出現努力線，表示此人孜孜不倦，努力學習，勤奮向上。

曾經看過一篇報導，一個八十多歲的老婆婆，竟然自學電腦，取得成功，令人感動，相信這位婆婆的掌中，必定有努力線。現時政府正推動終身學習這一理念，相信將來很多香港人都會長出這條掌紋來。

努力線是在生命線中間附近，向上生出的縱線。

小人線

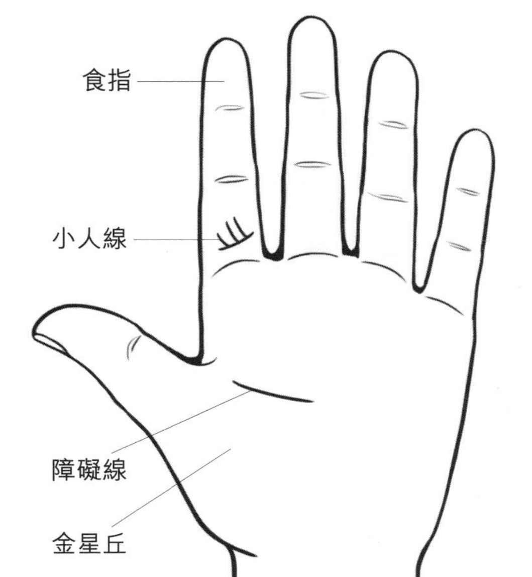

「寧得罪君子，莫得罪小人」。「小人」真是令人這樣神憎鬼厭嗎？

相信事實又真的如是，不然在灣仔鵝頸橋底又怎會經常有這麼多人在打小人呢？有些人更恐防自己不夠專業，打得不夠徹底，還「請槍」找僱傭兵用最臭的鞋去代打，果真是恨之入骨。

小人線是位於食指第三節的地方，如有此線，做事常遇一些突然而來的阻力，如要成功，非要付出多倍的努力不可。

在金星丘出現一條深刻之橫線，稱為障礙線，其意義與小人線相同。

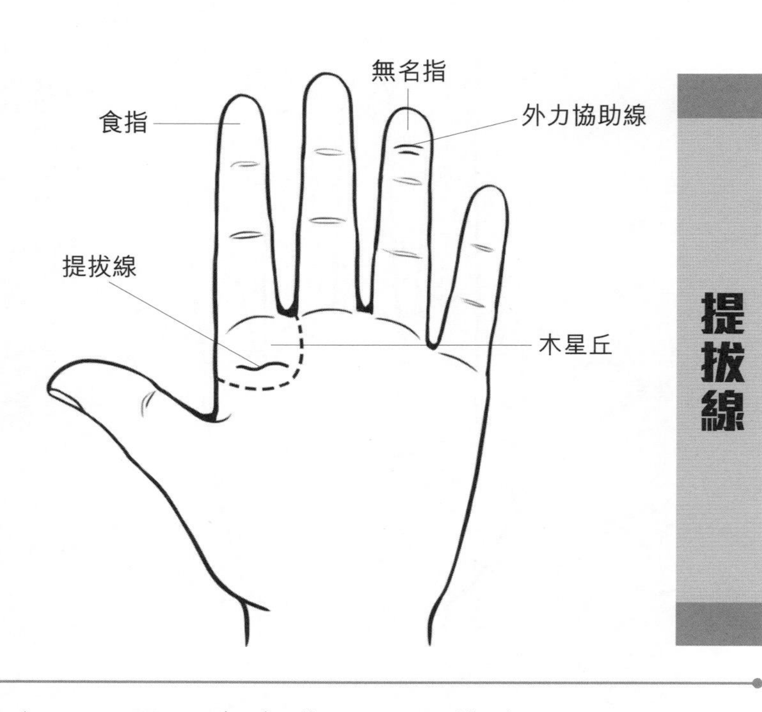

提拔線

「時來風送滕王閣」。

很多人戎馬半生，也未能成就半點功業，有些人卻能「無風無浪到公卿」，其中有一個原因就是得到我們所稱的貴人幫助。

甲戌庚牛羊，乙己鼠猴鄉，丙丁豬雞位，庚辛逢馬虎，壬癸兔蛇藏，此是貴人方。命理上已指示我們如何去尋找貴人的方法，在掌紋中如何去「搵」呢？只要見到有提拔線便可以了，此紋是出現於食指之下、木星丘的地方。

如果在無名指頂節的地方有橫紋，亦會很易得到外來之助力，世叔伯的栽培。

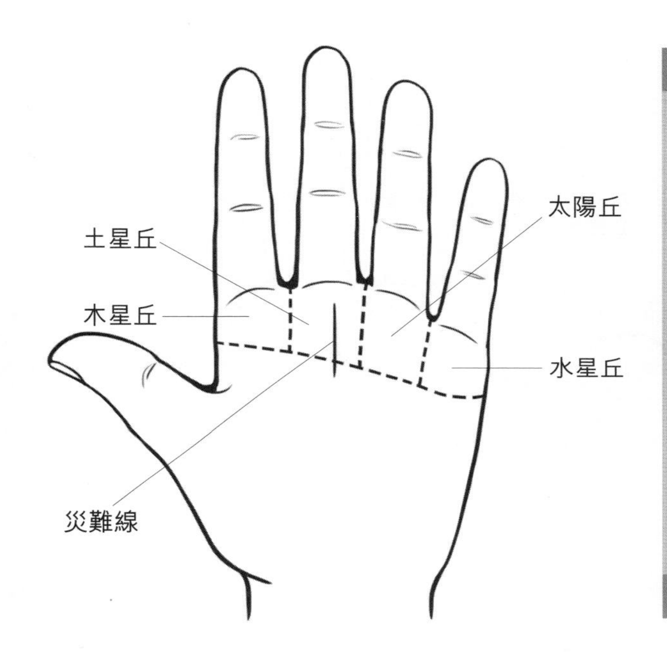

災難線

多災多難，正是蘇東坡仕途的寫照，久歷磨練後，寫出「我願生兒愚且魯，無風無浪到公卿」這心底説話。

但蘇大學士的仕途坎坷，並沒有取去他的性命，反而令他更豁達，在被放逐海南島後返回中土時，更寫下「九死蠻荒吾不恨，茲游奇絕冠平生」的名句，真是「吹佢唔脹」。

但如你在手掌上出現災難線，則就不是那般好彩了，因為此線表示一生中必遇一次大凶險，有生命之危險，假如眼神露而不藏，更要小心，多應於面相差的流年部位。

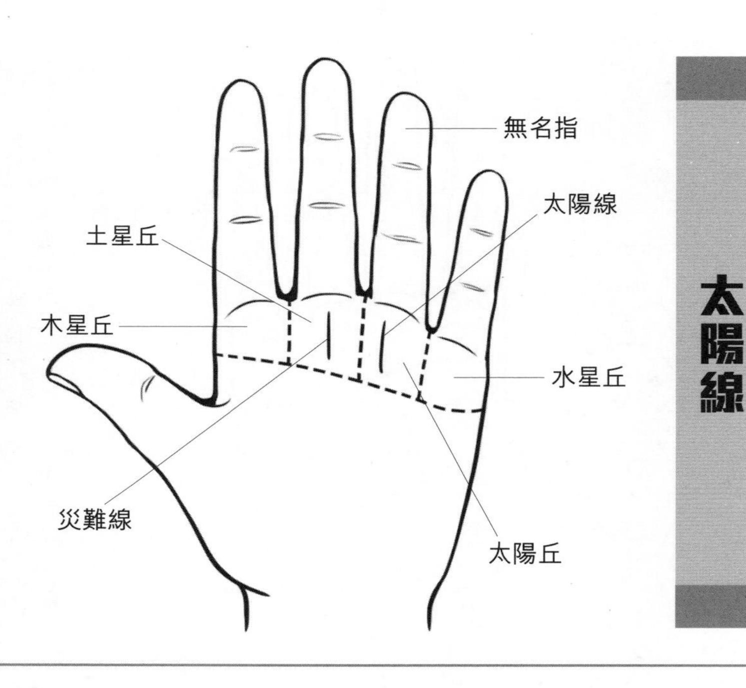

太陽線

「同人唔同命，同遮唔同柄」。

同時一條縱線，一條出現在無名指之下、太陽丘之內，一條則在中指之下、土星丘之內，吉凶意義完全不同。

出現在太陽丘肉之縱線，叫做太陽線，是會揚名立萬，光宗耀祖的一條線。

在相學上有云：「準頭對司空，揚名於祖宗」，在掌紋上擁有太陽線，亦同樣享有盛名。

在土星丘內出現的縱線，則稱為災難線，是會遇上大凶險的，故此我們要仔細去分清，不要弄錯。

醫療紋

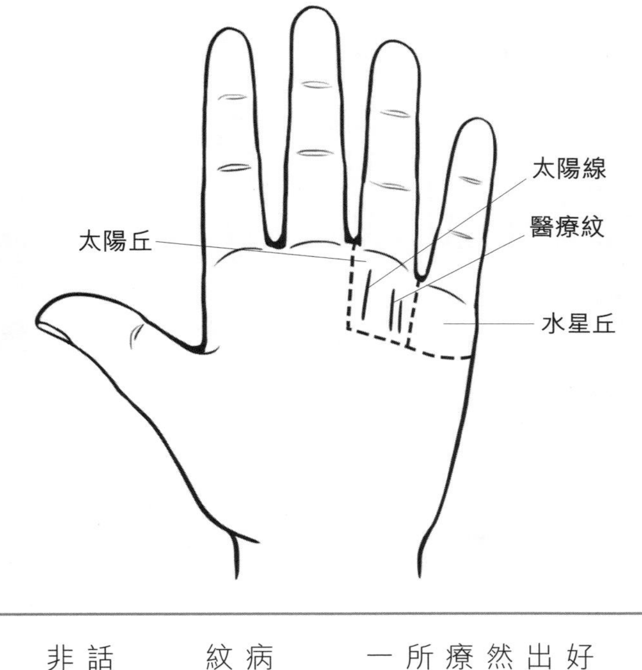

先前我提過在太陽丘出現的縱線是好的，叫太陽線，但是如果有兩條縱線出現在太陽線之旁，而靠近尾指的，雖然都同是在太陽丘之內，此條卻叫做醫療紋，是因久病而得到的紋理，即俗稱所謂一世孭住個藥煲來做人，「病君」一名也。

所以，一些長期病患者，例如糖尿病、腎病、高血壓等病人，都會出現這紋。

加上如果此類病人又有懸針破印的話，老來時就會又孤獨、又多病，真是非常可憐的。

過契紋

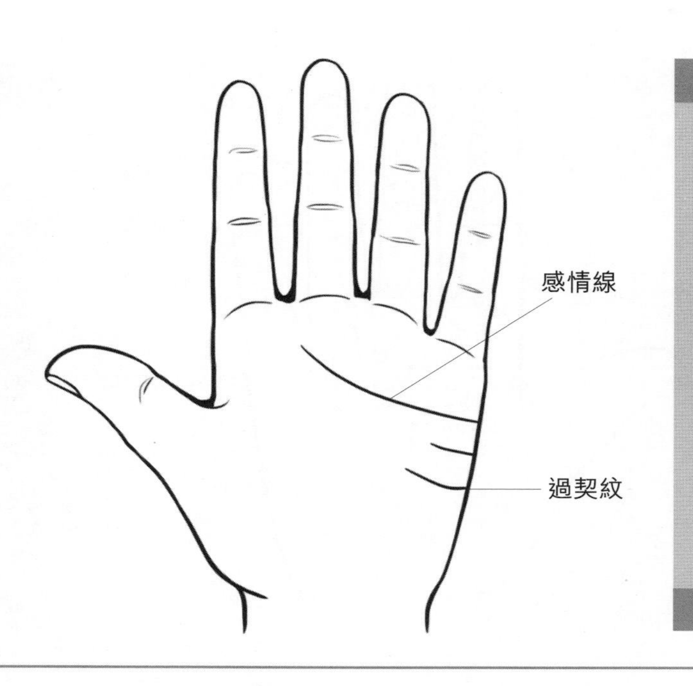

原來在掌紋學上，在童年時候你是否與父母共同生活，都是有迹可尋。

在感情線之下約一吋的地方，出現一條橫紋，名曰過契紋，表示童年時期不是與父母同住，而是由祖母、外婆、姨媽或阿嬸養大的，即是俗稱過房養。

此紋的出現，表示與父母緣分淡薄，或者父母已離異，其中一方又因生活或其他條件不容許，要將兒女寄居在親朋戚友家中，託養成人。

如果在距離感情線較近的地方出現橫紋，則表示上一代有人過房養大。

輔助生命線

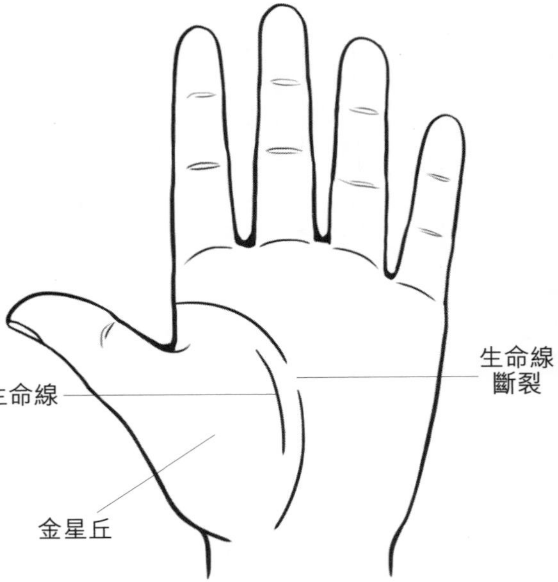

輔助生命線

生命線
斷裂

金星丘

大拇指雞髀位的地方名叫金星丘，在生命線旁出現的線叫輔助生命線，又叫保命線。

因為此條線之出現，主必先有凶險，然後才會安然渡過，即先遇險，然後才呈祥，所以說無好過有，但既然主線已斷，如果無此線去補救，就會有危險，此線的出現，是表示有得救，故此有又好過無。如有此線，母親曾有手術，亦可助擋此劫。

還有，此線的出現主其人有兩個母親，如女性左手有，則表示她有兩個家婆。

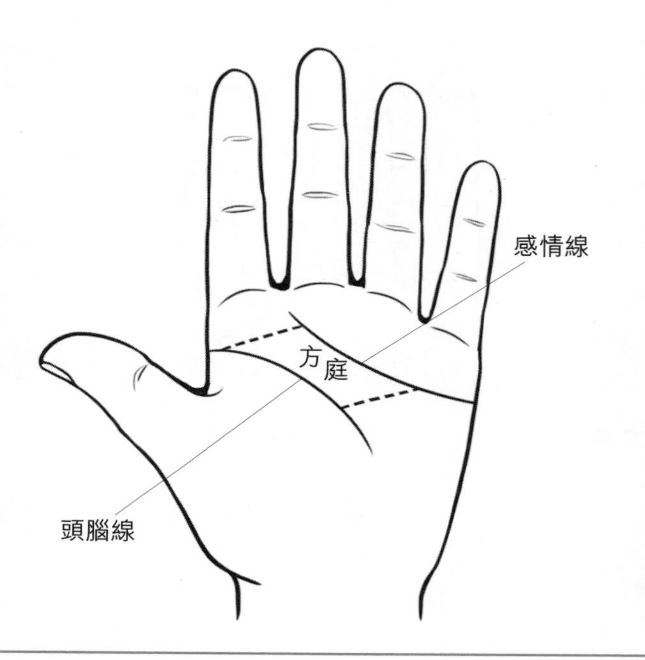

方庭

方庭是指由感情線和頭腦線之間形成的一塊空地而言，是用來觀察一個人的性格。

方庭廣闊，其人胸懷寬大，有容人之量，所謂「丞相肚內可划船」也，其作用與印堂的闊窄亦有異曲同工之妙。

方庭狹窄者，是主其人心胸狹窄。如果是因感情線過於低垂而致者，主其人吝嗇而貪婪。若頭腦線向上而致狹窄，則其人膽小如鼠。

英雄線

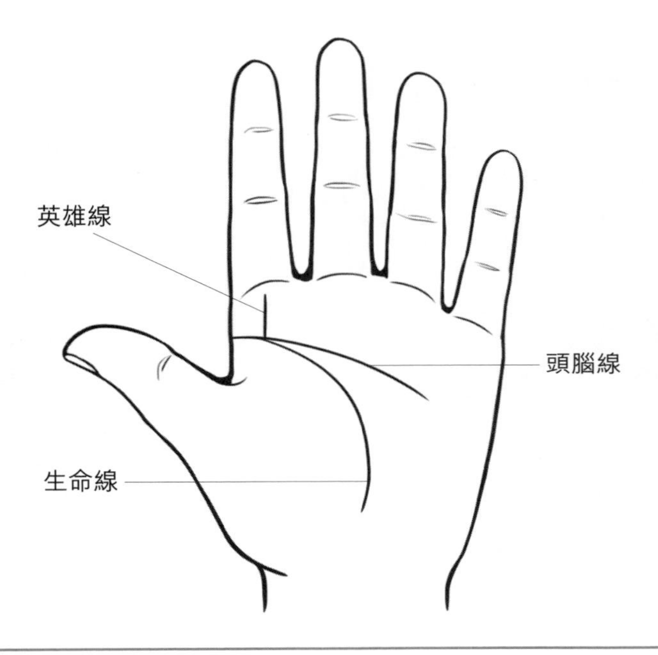

英雄自古出少年，成大業者，往往需要超人的意志力。

如有一線，起自頭腦線或生命線，直透上木星丘內食指基部，這人的意志非常堅定，進取心極強，縱遇極大困難，亦不會心灰意冷，因此其所作所謀，多能有成，成就一番功業。

溫柔鄉，是英雄塚，如果用這種堅毅不拔的精神發揮在另一處，就真是可惜。

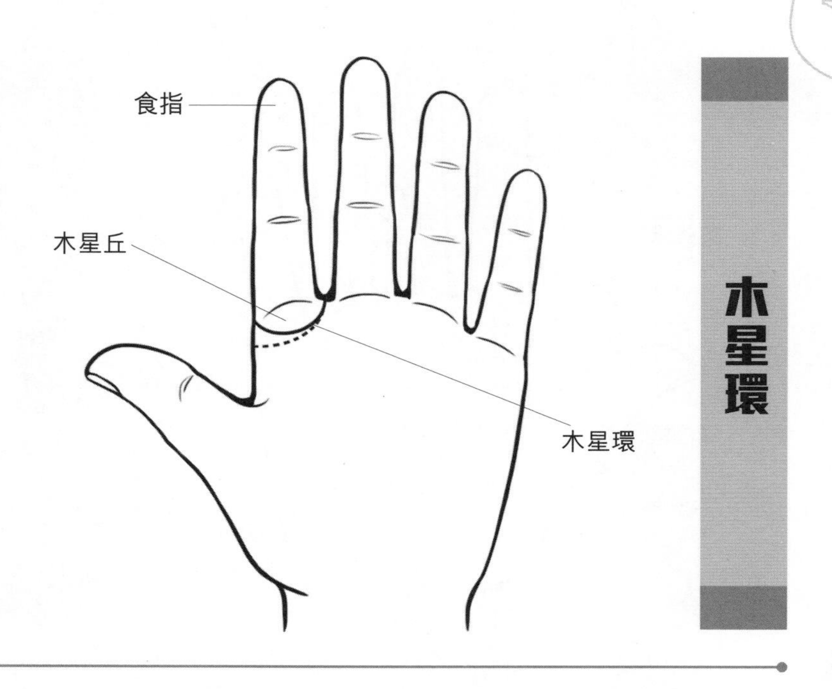

木星環

在食指基部之下的地方叫木星丘，在丘內出現一個完整的半月形就叫做木星環。

具有此環的人，必然富於文學天才，其他各方面的才智亦不弱，人稱「才子」是也。如果手形優美的話，更無庸置疑了。

若此環不成半月形而向食指掌邊伸展（如圖中虛線所示），則其人是富於演戲天分或精於音律，充滿了藝術細胞，等待星探的發掘。

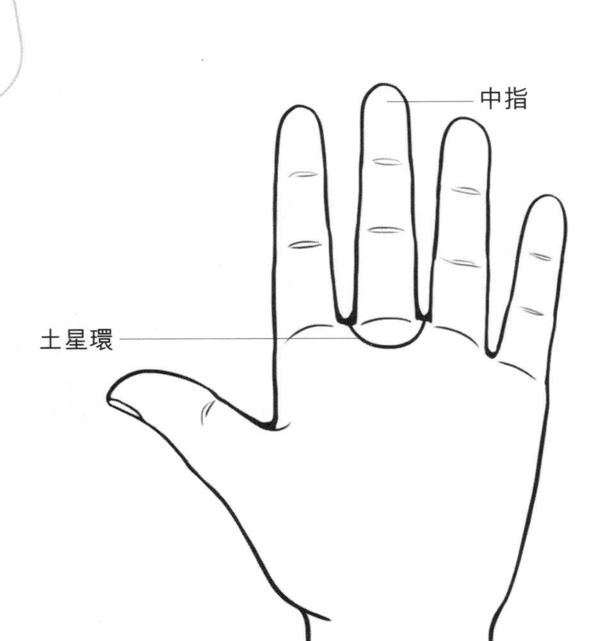

土星環

土星環是位於中指基部的土星丘內，是一個半月的形狀。

土星環與前述的木星環有一個明顯不同之處，是土星環只有壞處而沒有好處。

有土星環的人，性格孤僻，木頭一名，毫無生活情趣，難有婚嫁。

在掌紋上作何線條皆忌破裂，唯獨土星環最喜破裂，而且愈破愈好，因可將其壞處減輕之故也。

金星帶

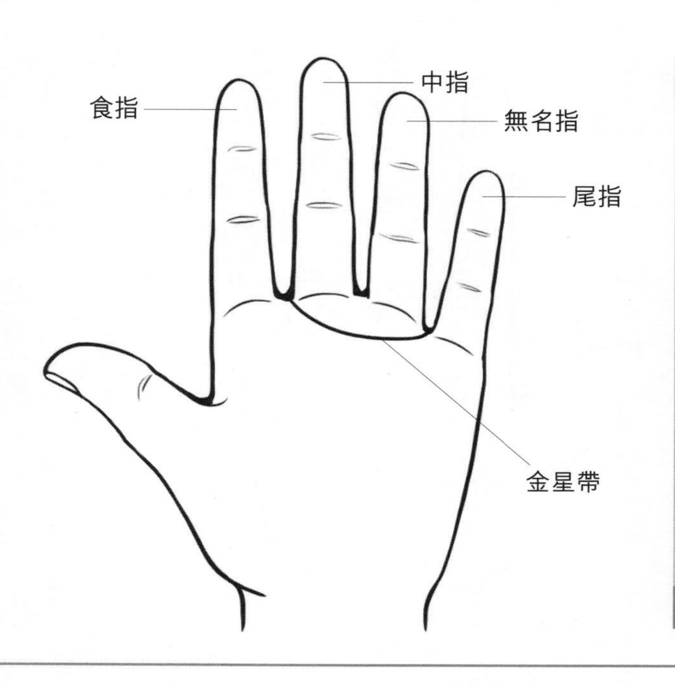

金星帶通常起於食指與中指交界處，彎向無名指與尾指的交界處，以完美無破損為佳，主其人品性優雅，感情豐富，有文學或藝術天才。

但完整的金星帶，百中無一，大多數金星帶的表現多為不完整、破裂為多，不完整的金星帶，代表不同種類的不良品格，故金星帶若不完整，寧可沒有。

例如金星帶水波狀，主其人疑心極重，凡事捕風捉影，疑心生暗鬼，庸人自擾。

金星帶斷斷續續者，不滿現實，很易染上不良嗜好，例如吸毒、酗酒。

斷掌與川字掌

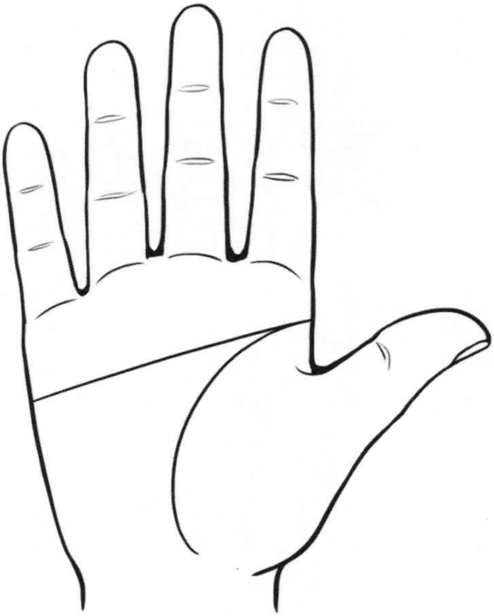

手掌上有兩種掌紋，是非常特別，有特殊意義，所以要特別拿出來一談。

斷掌

古書有云：「男兒斷掌千斤兩，女子斷掌過房養」。究竟何謂斷掌呢？

大多數人的掌上都有三條清晰的主紋，由上而下，分別是感情線、頭腦線及生命線，但斷掌的人，是感情線與頭腦線合併出現，劃過掌中，好像將手掌打橫斬斷一樣，故謂之斷掌。所以斷掌又稱通貫掌，亦有人稱之猿猴紋。

掌紋的出現，在胎兒時已形成，與胎兒在子宮內手握的姿勢及力度的強弱有密切的關係。

手呈緊握狀，則三條主線紋理便會深刻而長。

若是五指分開，並不緊握，三條主線就會變得淺或斷續，又或者距離較疏遠。

由於母親在懷孕時有病，或有痛症，或情緒不安，使胎兒陷於不舒適或處於極度緊張的狀態中，所以其子女便會出現斷掌。

斷掌之人，其遺傳特質極強，即其遺傳基因很接近父母，故此其體質、智力、壽命與疾病的情況與父母很相近。換句話說，如其父母患糖尿病，其人也極有機會患有同樣病症。假如其父母得享高壽，其人亦會達耆老之壽。

《神鵰俠侶》裏面有一位「老頑童」周伯通，什麼都沒有所謂，只喜歡玩，但斷掌之人卻是一個老頑固，性格非常執着，亦很武斷。從好處看，如果認定目標，雖然前面有萬般困難，都一往無前。但從壞處看，很多時卻是一錯到底，至死不悔，果真是楊不悔，特別是如果手掌很硬的人，就是真的硬漢，頸項堅硬過石頭，頑固到極點。

川字掌

川字掌的人又如何？

平常的人，頭腦線與生命線的起點都是連在一起，但川字掌的人頭腦線與生命線的起端距離是較寬，形成一個「川」字，故謂之川字掌。

斷掌與川字掌紋的人在掌相學上都有一個共通點，就是「命硬」，正正是「石地堂對鐵掃把」。所以我才將之相

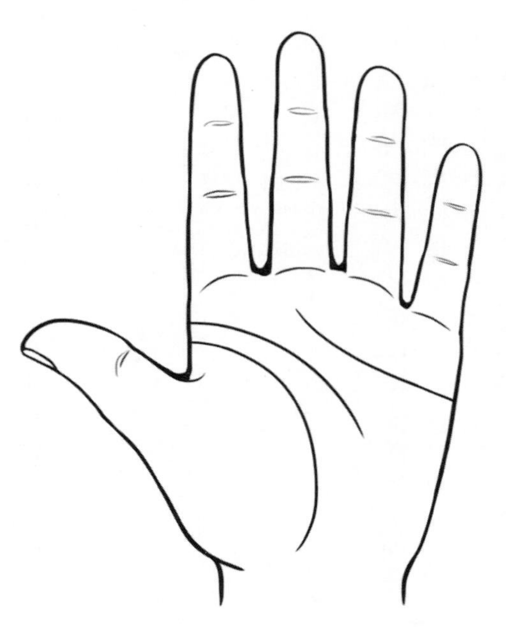

提並論。

川字掌及斷掌的人，皆個性強、主觀強、脾氣亦壞，不宜早婚，早結早離，最宜從事紀律部隊、司法界或從政。

有此兩種掌紋的人，刑剋很重，不刑父，就刑母，與父母緣分較薄，單親家庭子女最多見之，否則父母亦長期患病。

如果不刑父母，則刑兄弟姊妹，故此母親會有小產或兄弟姊妹夭折。

如果不刑兄弟姊妹，則會刑妻兒，與妻兒緣分淡薄，聚少離多。

男性左手出現上述掌紋則刑父，右手出現則刑母。

斷掌尤甚，川字掌次之。

因此，父母離異或過房養大的人（即自小跟隨祖父母、外公、外婆、阿姨、嬸嬸或親戚朋友長大，而不與父母同住者），多數會有斷掌。

女性如有川字掌，多是傷官命。官者，夫也。傷官，傷其夫也，故婚姻生活多不如意。

還有，川字掌紋的女性，其面相多是額高、顴高、鼻樑上有暗節。

如左、右掌不同，一掌是正掌，另一掌是川字掌或斷掌，其人為雙面人，有雙重性格。

對於川字掌或斷掌的人，可採用如下解拆的方法：

將他們過契予神或一些「命硬」的人，最好是契神，可減輕其戾氣。所以當我們收契仔、契女的時候，千萬不要亂來，否則自招麻煩。

另外，可以安排他們往寄宿學校讀書或到外地求學。

他（她）們選擇結婚對象時，最好配大仔或細仔，如是排中間，就會有兄弟夭折或有兩個母親。

最宜配大夫，最好年紀大十二年，如中年結婚就要配白頭郎，或配生肖相沖的人。又或者對方亦是川字掌或斷掌，硬鬥硬。亦可選擇對方為失婚之人。另外，遲婚亦是一個很好的考慮，早結只有早離也。

夫婦間的聚少離多，亦是解拆問題

的一個方法，例如經常要出門公幹、行船等等。

但我們亦不應過於害怕川字掌或斷掌，因問題的出現，總有相應解決的方法，我亦看過很多此類掌紋的人，生活非常幸福愉快呢！

但總結而言，川字掌與斷掌特點是在一個「硬」字。

實戰篇

總論

融會貫通

還記得金庸小說《倚天屠龍記》中，武當張三豐真人傳授太極拳給張無忌後，反覆問他忘記了沒有，無忌答曰：「一切已忘掉。」因為臨陣對敵，是「無招勝有招」。

「無名萬物之始，有名萬物之母」，名稱只是提供學習基礎時認識與溝通，但運用起來卻不要受名稱的束縛，要不惑於名，要融會貫通。

例如，我們會發覺同一條手紋，不同書本或學派，會給予不同的名稱，成功線，有人稱為太陽線，亦有人稱為沖卦紋，諸如例子，俯拾即是，令人眼暈目眩，混淆不清。

但其實我們只要記住，不論何線，只要朝着無名指方向而走，就屬於此條線。

認識一條線，只要知道它正常起止的位置，明白其「正常」，就會瞭解有關這條線的一切「異常」，過猶或不及，都屬病態。

活看掌相

還有，大部分之線都是以清晰無斷為美，故但凡有折斷、彎曲、紋破、黏上不利的符號，皆為不利而論。

假若問題出現了，則看看是否有救，即跌了入河流中，已成定局，則要看看有沒有「水泡」，能否挽回一命。

例如，生命線斷開，但旁邊有另一紋護住，則雖危有救。

總之，看掌相就要拿住這個原則，總要活看，那麼，千千萬條掌紋，其實亦即是一條掌紋而已。

化整為零

「實戰篇」內很多例子，都是單一舉例，原因是為了方便解說及不想令讀者混淆，因為一幅手相花花碌碌，會教人不知如何學起。

所以，我選擇用化整為零，返璞歸真的方法，介紹最基本之元素，而由讀者自行將圖拼回，反為更符合實際上的運用。

所以，當讀者要論斷某一種問題，都要建立起有連貫性的邏輯思想。

例如，要知道一個人的健康情況，就首先想起生命線，看其生命線是否完整，是否深刻有力，有沒有其他紋理對它構成破壞，減弱它的力量。

由於掌紋是長在手掌之上，所以我們要知道其手形之優劣。如果有病，則屬何種病，那又要看臟腑之部位及掌上九宮，有沒有消息透露。

發病之年齡何屬，此又要留意符號出現的部位，又要參考面相的流年。

問題出現了，就要觀看手上的氣色，看其病情之變化，預後之吉凶。

如此這般，將問題整合來看，才能看到事情的全部，不會如瞎子摸象，摸到大象當象頭，貽笑大方。

手相加減法

手相亦是如面相一樣，要用加減法，要將好與壞的掌紋加、減、乘、除後，才能得到答案。

例如，事業線出現中斷，表示會長時間失業，生活潦倒。斷口愈大，情況愈糟。

可是，如果出現一條優美無缺的成功線，與之同行，則失業與窮困的情況，會減輕得多了，若手形與三大主線又好的話，所遇到的困難就更輕若舉羽。此即所謂病而有救。

入門基本

因此，讀者學習與使用本書的方法，要從基本功做起。

首先，要從「掌形篇」及「掌紋篇」學起，知道掌形的五行，跟住就是掌丘的分類，包括八卦掌丘及西洋掌丘，因為在形容紋理的位置、起點及終點，都是必須用到的。

跟着，手指的長短標準，我們亦要了然於胸，「無規矩不能成方圓」也。

接着到手掌上的三大主線了，基本上每一個人都會有的。剩下便是其他三條基本線，間中是極少數人沒有的。

由這些基本線從旁衍生出來的線或附在其上的符號，會加強或減弱，甚至改變主線的意義者，就稱為「輔助線」。

最後一種具有特殊意義的線——特殊線，它們有時會獨立於基本線而出現，我們就需要將它們牢牢記住。

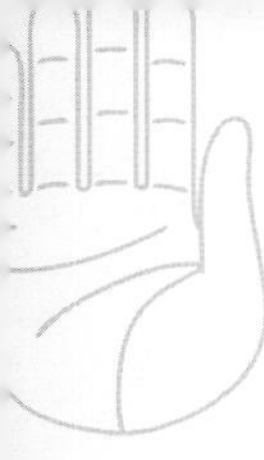

當大家將這些線記到滾瓜爛熟後，便可將它們完全忘掉，進入此實戰篇，看看如何將掌紋知識運用在實際之上了。

事業與太陽

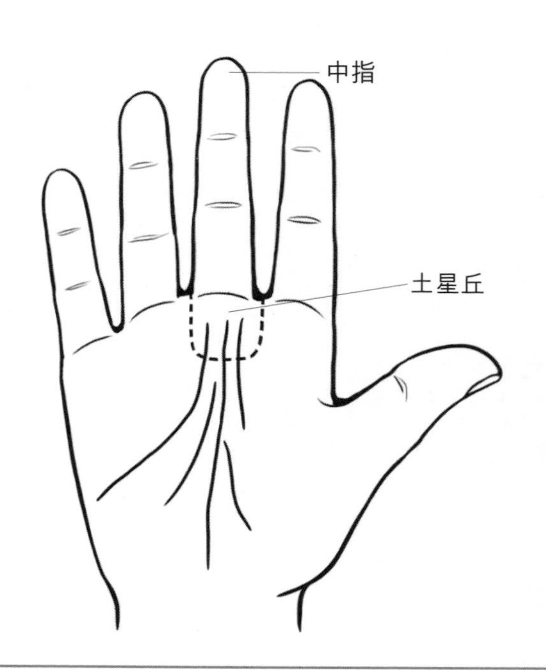

「太陽出來了」，表示事情充滿了希望與生機。在我們的掌相上，亦有一條叫「太陽線」，亦稱成功線，但此條線並不屬三大主線之一，所以並不是每一個人都有，由於此線很容易與事業線（命運線）混淆，而兩者亦有很密切的關係，故在此特意拿出來與各位談談。

事業線是通常起於手頸線坎宮附近，而直上中指之下的土星丘，但亦有些事業線卻起自不同的部位，例如太陰丘、金星丘、第一火星丘、第二火星丘、火星野等，但不論其起點是在何處，只要其末端是趨向中指的就稱為事業線。

同樣道理，太陽線（成功線）的起點亦是可以從四方八處而來，但只要它

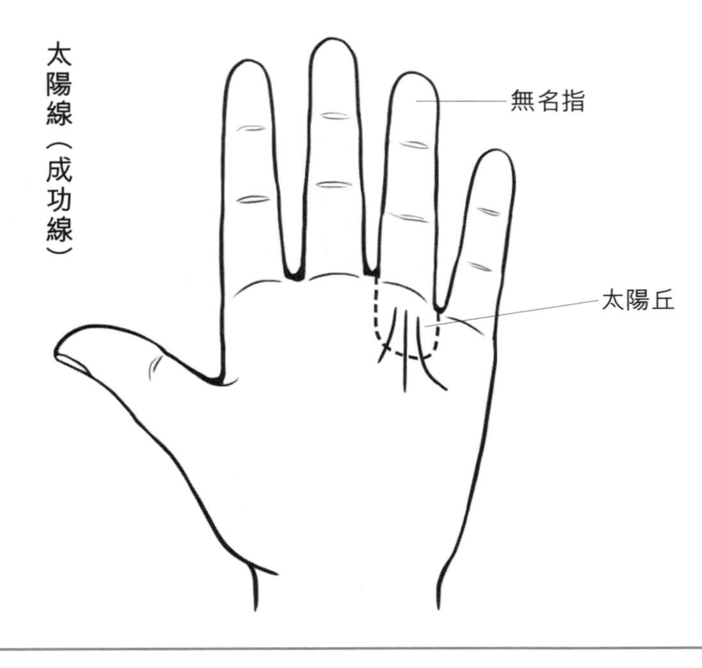

的末端是趨向無名指下的太陽丘者，我們就稱為太陽線。

太陽線深刻明秀，無彎曲或斷裂，主其人事業易成，戀愛亦易成，縱無事業線配合，一生幸福亦不淺，衣食無憂，但如有優美事業線配合，一生必享大名與大利。

反之，事業線有太陽線配合，就是如虎添翼，名利雙收，事業線與太陽線是觀察一生命途順逆的兩大根據。事業線與太陽線皆美，一生人之運程就順風順水。

升與降

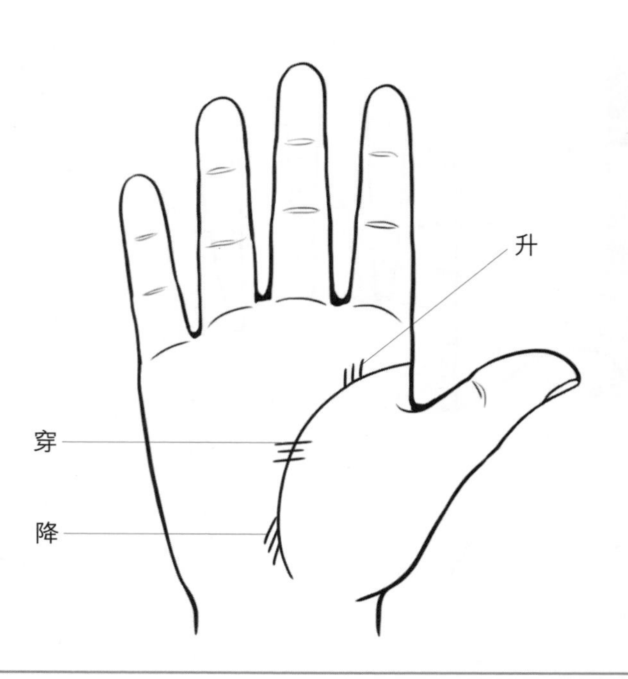

明升暗降，此四個字似乎已說明了升與降的玄機。大體而言，手掌上的線是以升的為佳，降的為壞。

生命線上如有短短的支線上升，長度約五毫米以下，不管是多少條，皆代表健康日趨好的表現。

如支線超過一厘米以上，則不屬支線而變為其他名稱的線，例如伸到中指方向的，就變成事業線，如伸向乾宮（太陰丘）者，則變成旅行線，此又不可不注意其分別了。

假如此支線不是向上升，而是向下降者，即趨向手頸線、手腕部伸去者，那就不是好事了，是表示身體日差。

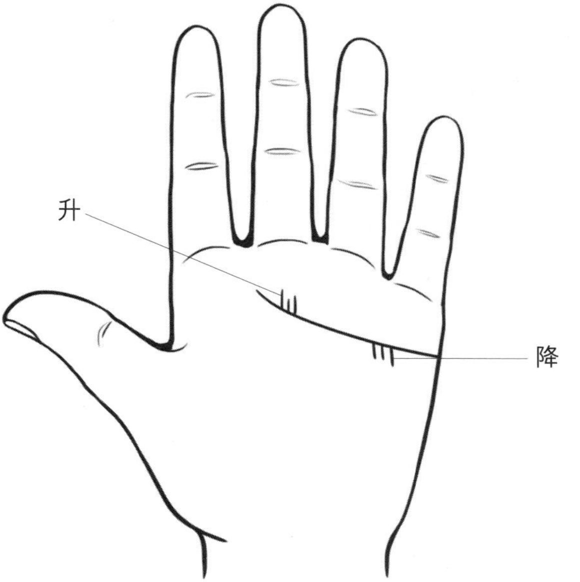

升

降

假如這些線不上升，又不下垂，而是平行穿過生命線，則表示流年到此必然有病，不過卻不是什麼大病，而多是神經衰弱，線愈多、愈深，表示病情愈久愈重。

但要注意假若橫過生命線的短線只有一條，深刻異常，則是主有重病或有意外之事了。

感情線上有頗多短小支線向上升，主其人感情生活健康而幸福。如其支線是下垂者，則易生情變。

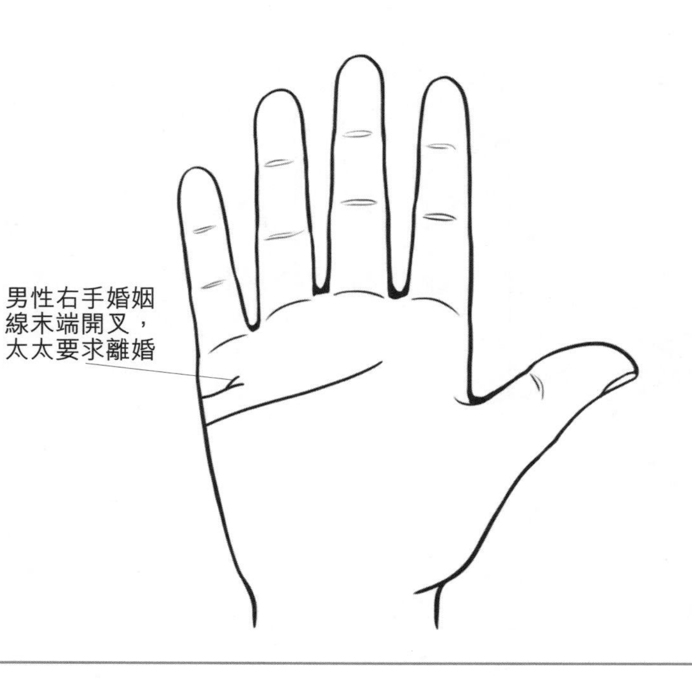

左與右

在上卷與中卷的《掌相精粹》，我已用了很多篇幅去強調在應用時男左女右的重要性，在此下卷的《掌相精粹》，我同樣要強調男左女右的實用性，唯恐各位讀者已遺忘了，故再闢一章去解釋。

男性，左掌代表自己及自己家族內的事。右掌代表妻子及外家方面的事。

女性，右掌代表自己及自己家族內的事，左掌代表丈夫及夫家方面的事。

例如婚姻線末端開叉，是有離婚之事，但究竟誰是始作俑者，提出分手的呢？

在男性而言，左手婚姻線完美，右

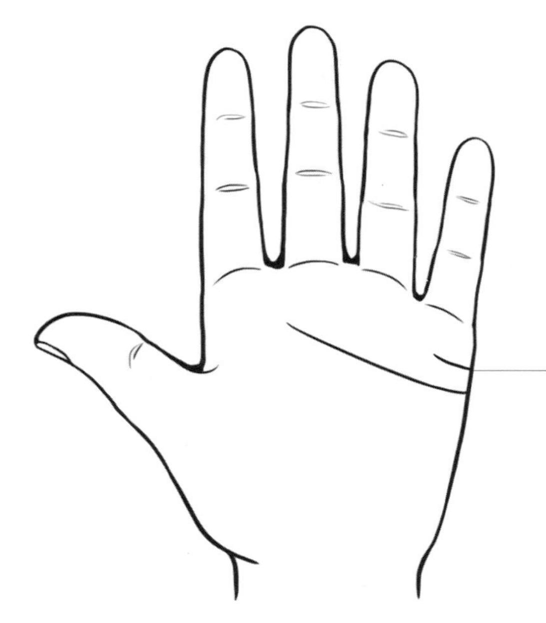

手婚姻線末的開叉，則是太太要求離婚。如右手婚姻線沒有問題，而是左手婚姻線開叉，則這個帶頭人就是你自己了。

如果兩手婚姻紋末端都開叉，則是你情我願，雙方皆有意願斬斷盟約，做其分飛燕。

在女性而言，左手婚姻線直，右手婚姻線末端開叉，是自己要求離異。右手婚姻線直，但左手婚姻線末端開叉，是丈夫要求離婚。雙手婚姻線末端皆開叉，則雙方皆同意離婚。

遲與早

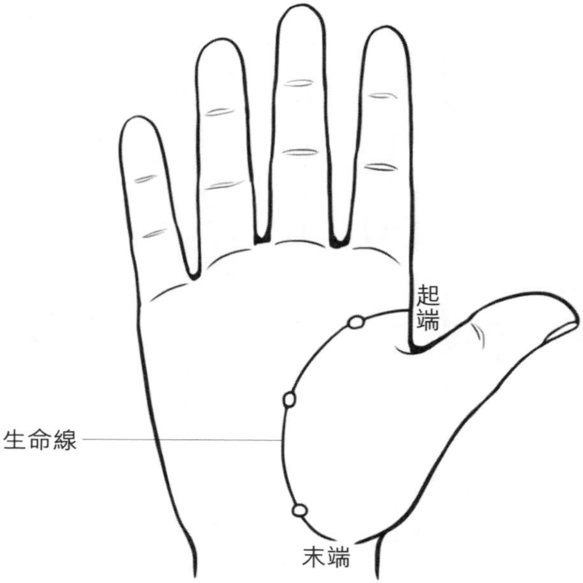

認識事情發生的遲與早，就必須知道每一條線的起端與末端，所以我在介紹每一條基本線的時候，都有指出它們的起始與終結，各位可翻閱「掌紋篇」——基本線（第81頁）便知究竟。

如島形出現在生命線的開端，主童年健康較差，常常有或大或小的疾病，所謂「藥煲」是也。

如島形出現在中段，亦是病徵，發生時間是在中年，沒有健康的身體，如何兼顧工作呢？故往往會引致事業上的不順利，此時又須兼看事業線了。

島形愈大，表示疾病愈纏綿難癒，會患上慢性長期病，例如糖尿病、乙型

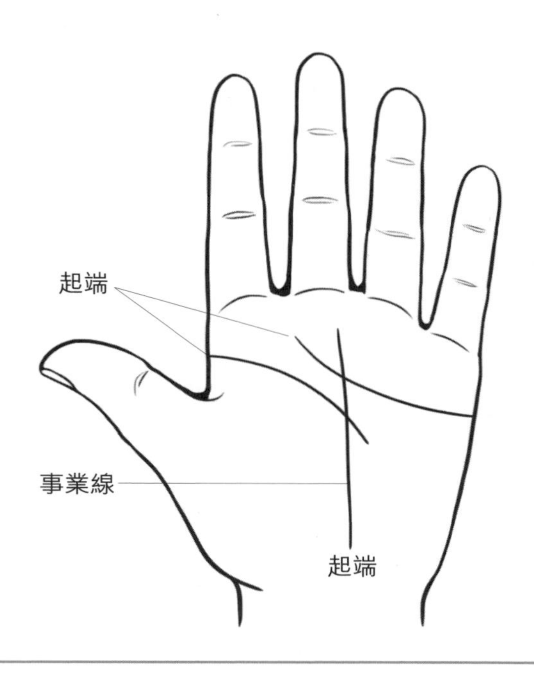

肝炎、心臟病、腎病等等。如指甲出現坑紋或凸紋者，更能確診。

如島形是出現在生命線的末端，人們常說「食鹽多過你食米」，此人則必定「食藥多過你食飯」，可說是晚境淒苦，醫藥費還多過食飯、飲茶錢，夜來空照晚涼天了。

手形優美者，病情會減輕，手形惡劣，病死為多了。

但據個人經驗，應數流年要以面相為主，掌相為輔，方最準確。即是面相為本，掌相為末了。

本末倒置

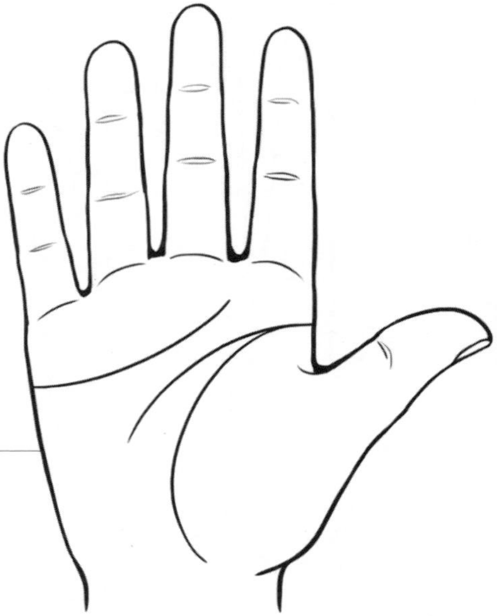

掌形之優劣為「本」

命途多蹇，是沒有人願意見到的，「無風無浪到公卿」相信是每一個人的意願，如何去看呢？

從一個人的掌相上去觀察他的命運順逆，就要觀察他的命運線（亦即事業線）及太陽線（亦即成功線）。

但我要在此強調一點，事業線和成功線雖然是觀察人生命運順逆的兩大根據，但只是居於次要的作用，而不是主要的作用。很多人以為看命運只要從事業線及成功線去看便足夠，不必理會其他，於是抓到雞毛當令箭，指指點點説你的事業線如何，成功線如何，因而你的事業成敗便是如何云云，既不顧手形的優劣，亦不計較三大主線——生命線、

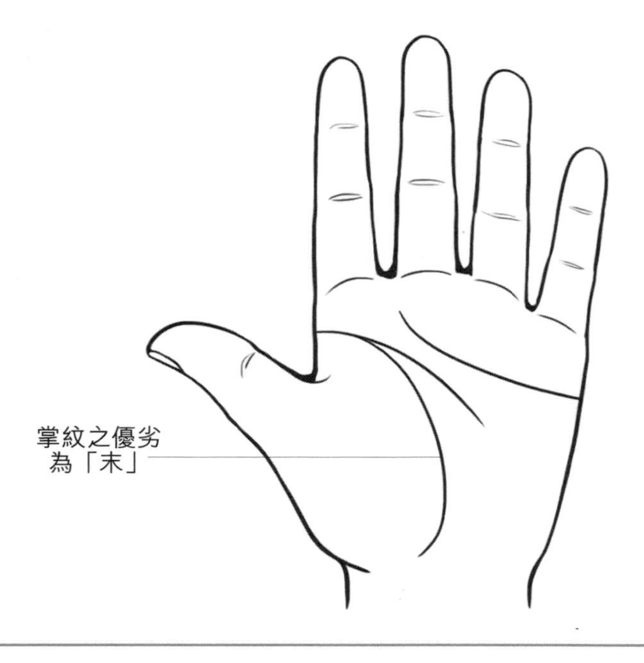

頭腦線及感情線之有無缺憾，更無視事業線與成功線本身線條的深淺與闊窄、是彎曲及折斷、氣色鮮明與否？便貿然論斷，雖不全錯亦不遠矣。

換言之，看掌相之訣要是以手形和三大主線為本，其他線為末。

手形和三大主線是樹之根苗，其他線則為樹之花果，根苗不壯，花果樹葉何能茂盛起來？

長與短

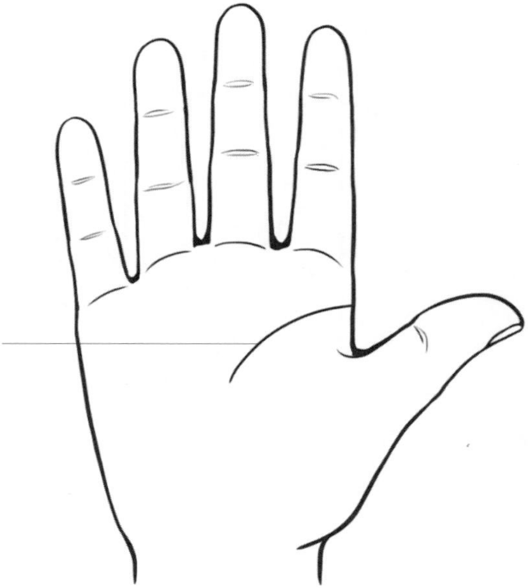

生命線短

「人生自古誰無死，留取丹心照汗青」。

人生命的長短，不在於其長短，而是在於其意義及質素，但畢竟怕短命的人總是佔大多數，很多人見自己生命線很短，就終日惶恐死亡很快到臨，究竟事實是否如此呢？

其實看生命線，必須配合手形、頭腦線及事業線去觀察。

掌上一切的線紋是追求它的完整性，雖然是短，但是沒有斷開，或受到其他支線或符號的破壞或減弱，且有氣勢，手形厚實，掌肉有彈力，氣色明潤，大拇指又強偉而直，初步看來，此人已

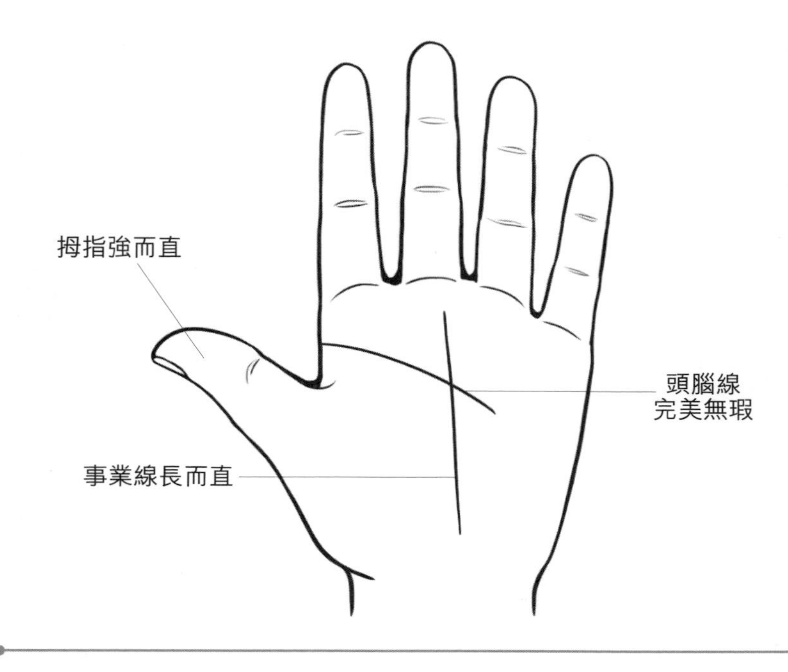

非屬短命之掌相，如加上頭腦線完美無瑕，事業線既長且直，其人必享高壽。

生命線長短的確有決定壽命長短的作用，但只是其中一個因素而並非全部。萬丈高樓從地起，手形好比地基，掌紋好比建於其上的樓房，現今地基穩固，生命線短只是樓房比較矮，何來倒塌危機？況且頭腦線好，則有智慧去應付危機，而事業線的長直是代表事業的久遠，旁證此人的長壽。

當然，如果此等條件並不具備，短的生命線自然以短壽來看了。

通姦

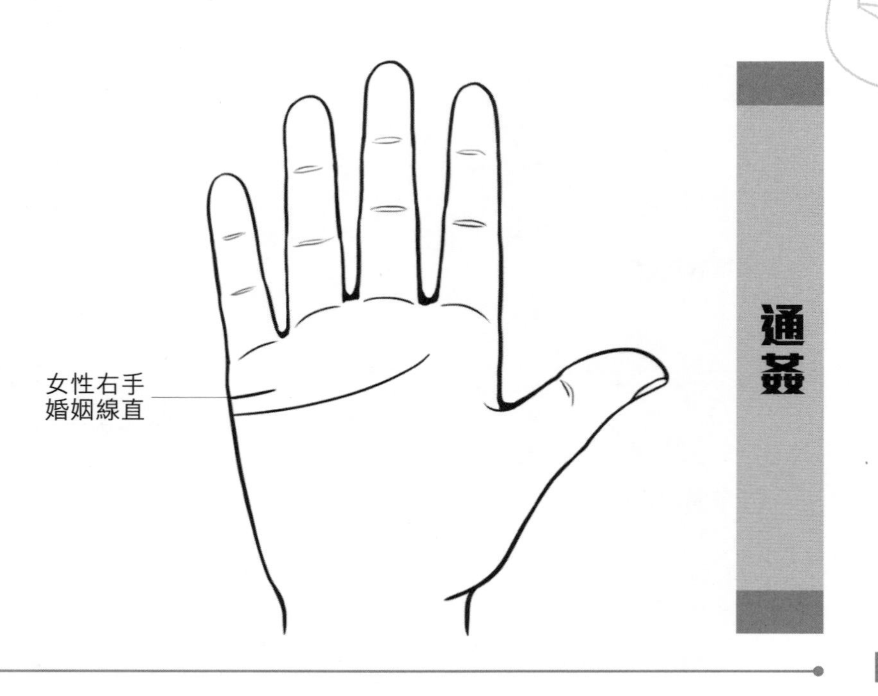

「捉賊要拿贜，捉姦要在牀」，究竟是男的與人通姦，抑或女的有情夫，在掌紋上能否找到證據呢？

答案是可以。

通常，通姦的標記是在婚姻紋上出現島紋。

假如是一個女性，她的右手婚姻紋直，而左手婚姻紋上出現島紋，就是婚後丈夫與人通姦。

但如果左手婚姻紋直，而右手婚姻紋出現島紋，則是丈夫很忠於自己，紅杏出牆是自己而已。

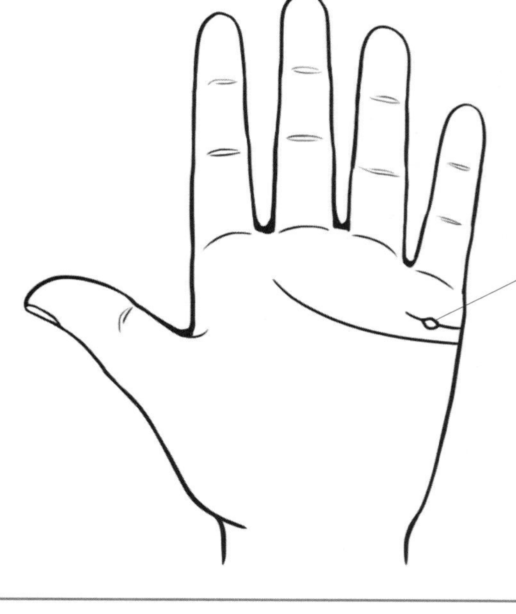

如雙手婚姻紋上都有島紋，則是婚後各自各精采，你有你的西門慶，他有他的潘金蓮了。

至於會不會離婚，則要看婚姻紋尾端有沒有開叉，如果開叉，則是姦情被撞破而離婚。

如果末端婚姻紋直，則雖有姦情，但仍未東窗事發，婚姻關係仍能維持，或因其他關係，對方仍願長相廝守。

但須要留心，婚姻紋上出現島紋，亦可以主配偶是眼或頭部受傷，或須配戴眼鏡，所以還要配合其他部位觀看，例如女性有沒有「眼定定」或憂怨的眼神，方能準確。

雙手合參

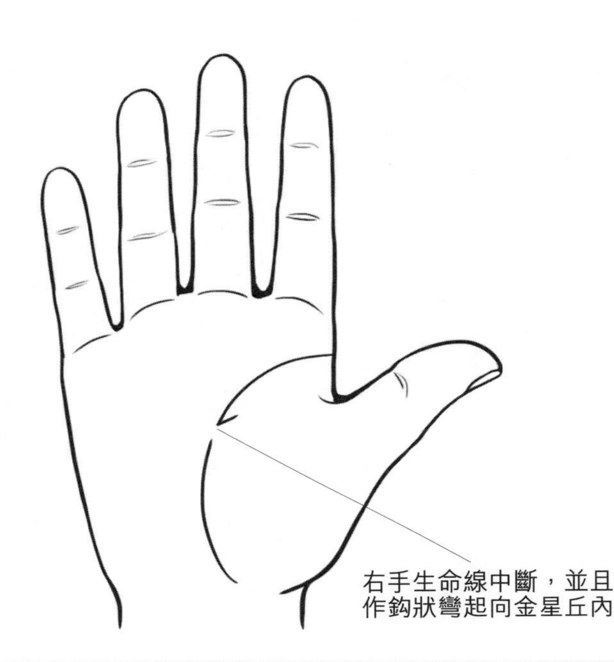

上天既然賜給我們一雙手，看手相的時候必定要雙手合參，缺一不可，不要過於拘泥於先天、後天之説，亦不是男性只看左手，女性只看右手，因為無論左手或右手，這一對手都是屬於你的，只不過在看的時候，有所側重而已。

如左手生命線中斷，並且作鈎狀彎起向金星丘內，此是最危險的生命線，表示有生命之危險，但亦應同時觀看右手，如只是左手中斷，而手形又好，或有方格形保護，則是為有救，或可逃過一劫。但如兩手都是如此中斷，則情況不妙。

另外，男性以左手觀察前半生為主，右手則以下半生為重。女性則以右手為

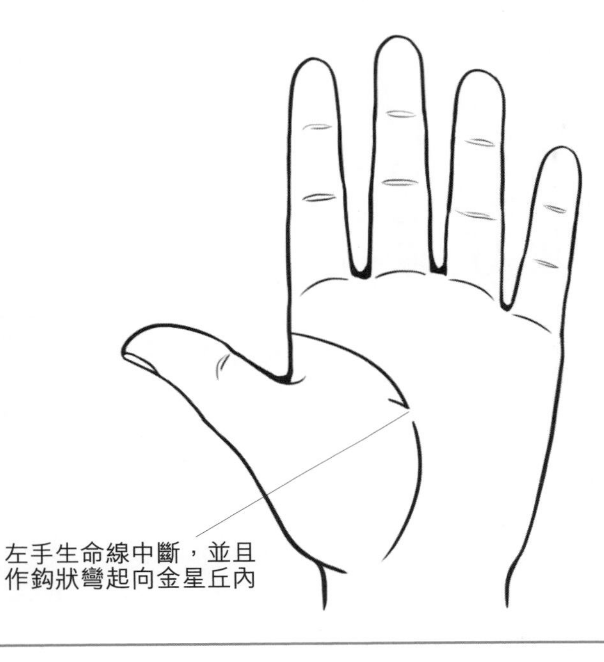

前半生，左手為下半生。

現代人的壽命已比前人提高了不少，故所謂前半生應指三十五歲以前，下半生則以三十五歲以後計算。而這年齡的界定，亦應跟隨以後實際之變化而再有所調整，方能符合現實情況。

梳起唔嫁

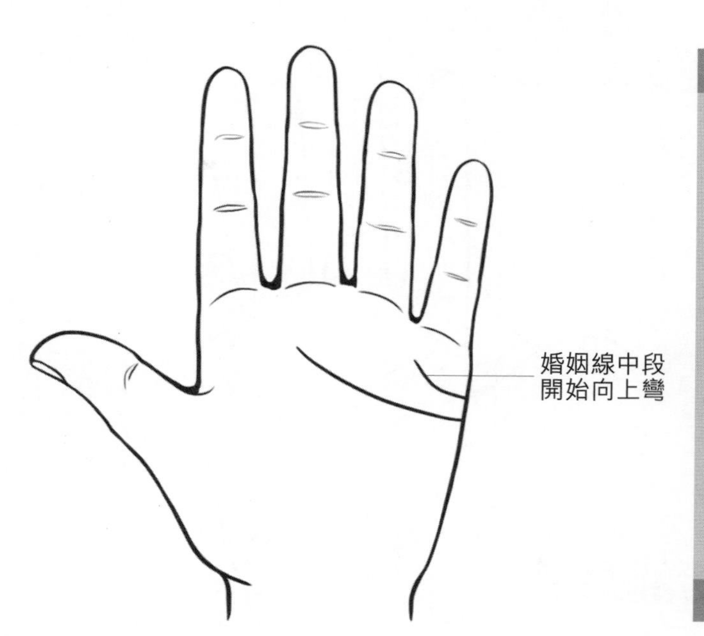

如果擁有如上婚姻紋者，則是獨身主義的擁護者。

「曾經滄海難為水，除卻巫山不是雲」。他（她）們或多或少受過感情的創傷，如驚弓之鳥，一日被蛇咬，終生也怕蛇。

此條婚姻紋之特點，是在中央向上折上，多見於和尚、尼姑或修道之人，從前的順德「馬姐」，相信亦多有此紋，當然，很多的太監，亦應擁有此紋。故此亦可理解此紋為很少或缺乏性生活所致。

異地姻緣

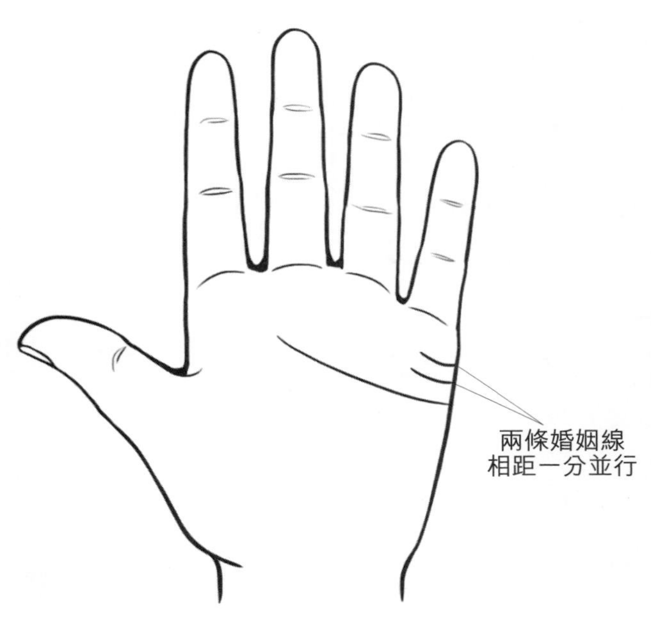

在六十年代，很多香港人喜歡將女兒嫁往外國，尤其是美國，所謂「金山阿伯」，年齡雖大也不拘，因為他們是用美元，有錢嘛！但時移世易，此調也不彈久矣。

異地姻緣的意義有三：第一，嫁往外地或在外地娶妻。第二，配偶為外國人。第三，配偶是在異地認識，然後結婚。

所以，如果你想嫁到外國去，都不是這般容易，必須有婚姻紋配合才行。

異地姻緣紋是有兩條婚姻紋雙線並行，相距一分左右，並不太貼。

三角戀愛

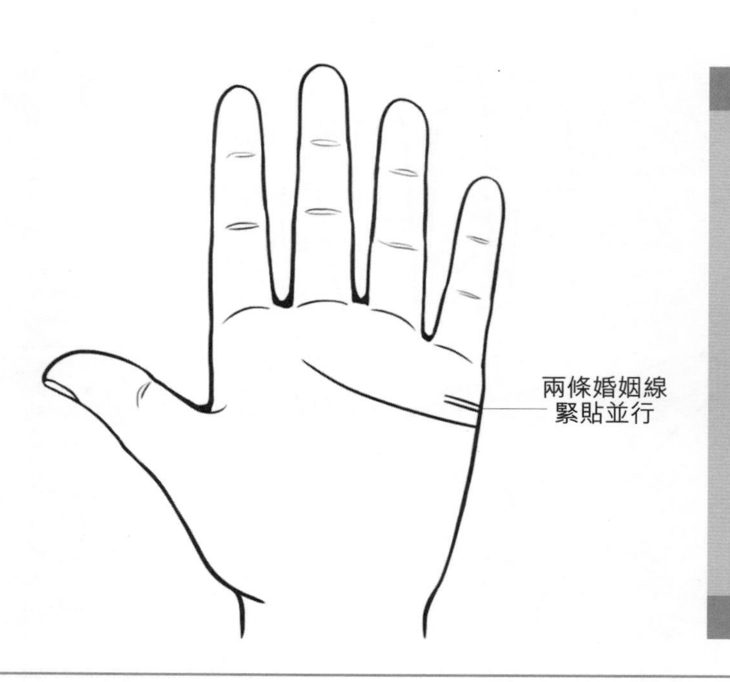

先前說過婚姻紋雙線並行是會有異地姻緣，但很多人發覺自己都是婚姻紋雙線並行，卻不見有異地姻緣，反而很易惹到三角戀愛，何解？

因為婚姻紋雙線並行，但兩線並不是有所距離，而是走得很近，或幾乎黐在一起，因而變成三角戀愛的紋理了，故掌相的微妙處就在這裏。

假如是女性，左手出現三角戀愛之紋，則是她的男友結織第三者，構成三角戀愛。如在右手出現，則是自己另有新歡，構成三角之戀。假若是已婚，則有婚外之情。

婚姻線
多而紊亂

人不風流枉少年，似乎是當今很多青年人的心態，落夜總會、蒲吧、去狂野派對，各自追求快活。

這類年青人，婚姻紋必定特多，所謂一段感情，一條婚姻紋，假作真時真亦假，故婚姻紋紊亂就足以反映他們的心態，感情複雜，用情不專。

在面相上，他們還擁有一個很特別的鼻，叫狗公鼻，意思是逢異性都有興趣，特徵是在鼻之準頭有一條隱隱凹進去的縱紋，以之為記，妙哉。

藥煲

婚姻紋末端下垂，觸及感情線

娶妻如「茶煲」可能只是吵鬧多一點，從另一個角度去看，只是為生活添上一點情趣也未定，但娶妻或嫁夫如「藥煲」，則恐怕為生活負上一個重擔子。

婚姻紋向下垂，並且觸及感情線，則配偶會長時間抱病在身，並不適合從事一些危險性行業，例如建築、機器五金、職業司機等，否則很容易有意外。但偏偏正是從事這些行業，多有此紋。

身體方面多是喉嚨、氣管、肺部或肝部的疾患，亦要小心腳有問題。

訴訟離婚

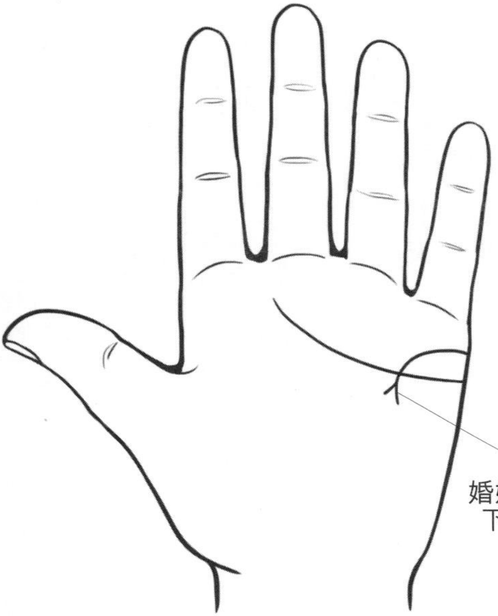

婚姻紋末端開叉，
下垂穿過感情線

曾經深愛對方而結合，一旦反目成仇竟要訴諸官司而離婚，的確令人有點可惜。

假如婚姻紋末端開叉，下垂穿過感情線，則無可奈何是要注定要訴訟離婚了。當然此問題或許是因為子女撫養權，又或是一些經濟上的利益，總之，律師必然是其中一位得益者。

離婚

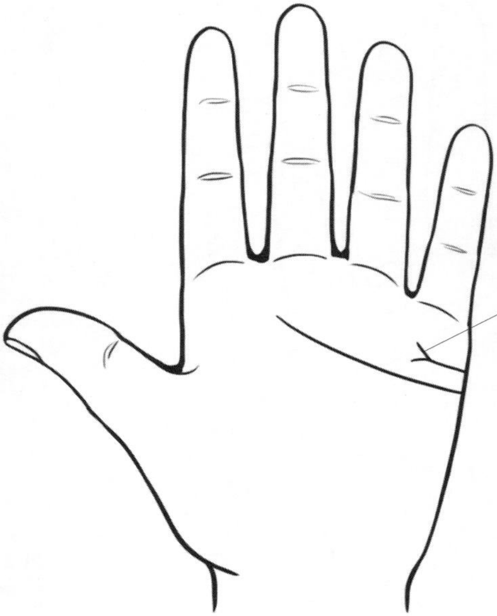

有人說：「夫妻如衣服」，合則來，不合則去，說來真是輕鬆，但我相信離婚總是人生路上的一個遺憾，沒有多少人會願意見到，除非是一些被對方虐待的「怨偶」，是少數的例外。

在婚姻紋的末端開叉，是離婚之象，叉愈大，危害性愈大。但既然婚姻已開叉，總要面對現實，積極面對才是一個最佳的方法。

太陽線

女性婚姻線末端
觸及太陽線，
能嫁得金龜婿

金龜婿

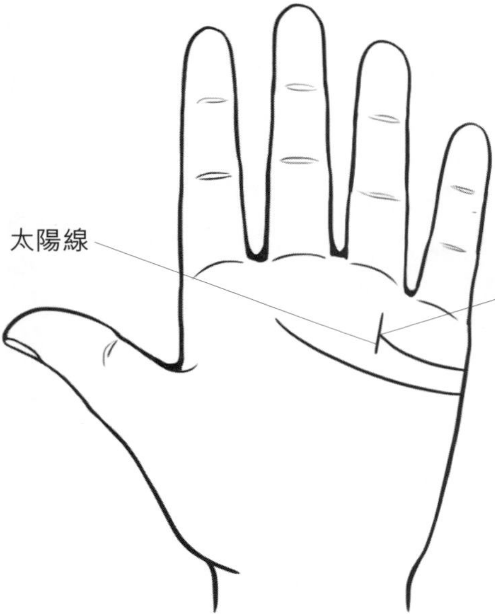

俗云：「外母見女婿，口水流流長」，假如這位是「金龜婿」，相信更會厲害過水浸金山寺。

如果一個女性，她的左手婚姻紋觸及太陽線，表示會與一個有名譽或是有財富的異性結婚，可喜可賀。

但如果不幸穿過太陽線，則婚後會令夫婿蒙污，名譽受損。假如男性右手亦如此，原本以為娶了一位千金小姐，夫憑妻貴，可在事業上扶他一把，誰知卻變成攞命藤，婚後事業反變一落千丈。千算萬算，不及老天一算。

覆水重收

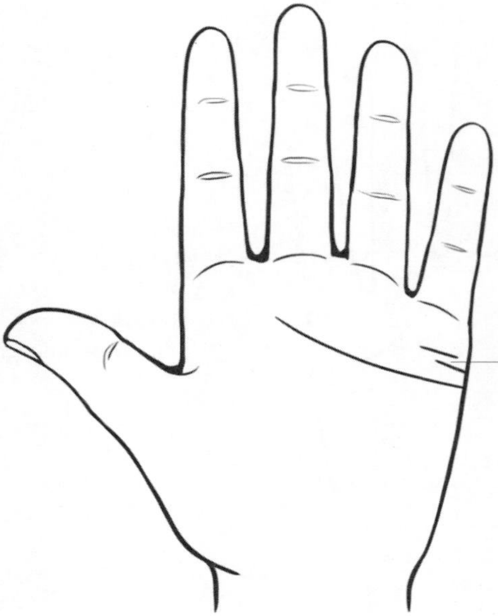

婚姻線斷口
重疊，覆水
可重收

有斷口的婚姻紋是不吉之兆，表示分居或離婚。

但如果斷口是重疊或駁回的話，表示雖然分離，但繼而復合，重過持久的婚姻生活，真是愛到分離仍是愛。

所以我們觀看婚姻紋的時候，必須仔細及謹慎，切勿輕率。

只愛同居

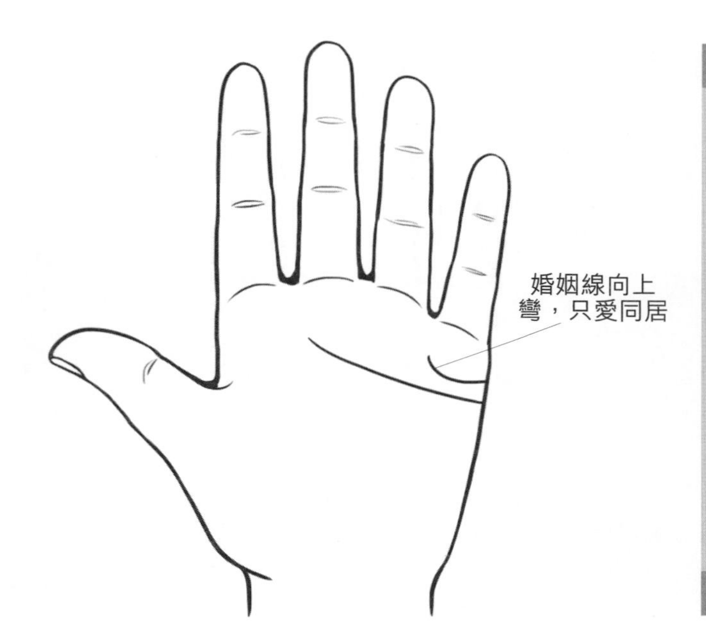

「合則來，不合則去」，是很多人掛在嘴邊的口頭禪。所以現代的男女很多都喜歡同居。

婚姻紋向上彎的人，他們不會介意與異性有親密的關係，但如果要他們走進教堂，簽一紙婚約，確定盟約，似乎難於登天，如果你要拍拖的目的終歸是要結婚的，就應要留意對方是否有這類婚姻紋了。

山林隱士

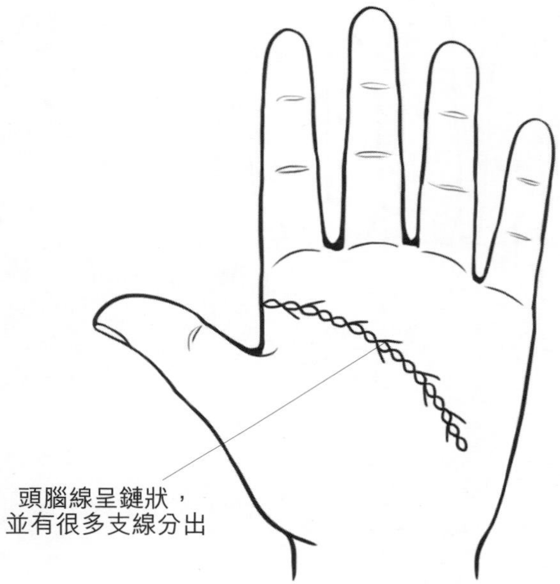

頭腦線呈鏈狀，
並有很多支線分出

在風水學上有云：「山風值而泉石膏盲，主出山林隱士」。意思是指大門的星盤為八四同宮，八為艮，艮為山；四為巽，巽為木，八白土遭四綠木之剋，性格孤僻，有出家之念。

在手紋上，如頭腦線由頭至尾皆出現島紋，形成鏈狀，並且下垂至太陰丘，不但主其人思想不集中，而且憂鬱沮喪，怪癖多端，每欲遁迹山林或萌自殺之念。

若整條鏈形參差不齊，旁邊又有很多細線分出，如毛髮狀，則不僅有如上缺點，還會情緒失控，做出殺人之事。

「空談」大家

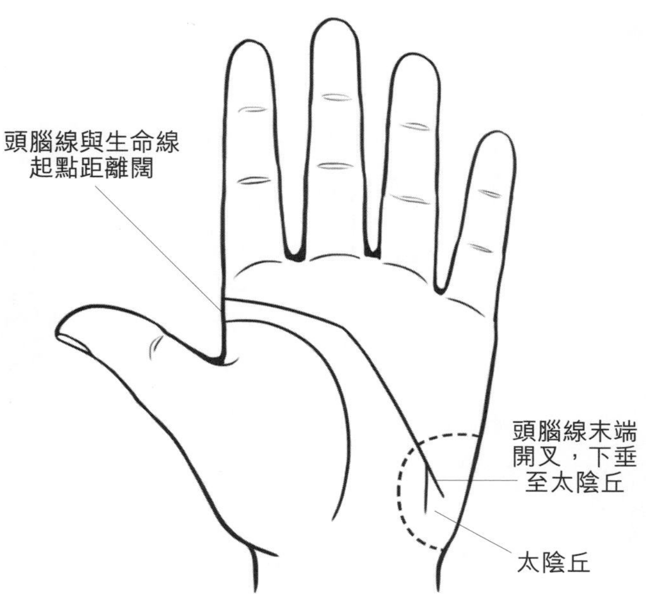

魏晉南北朝的士大夫們，以「竹林七賢」為首，皆崇尚空談，即現在我們所謂「齋talk」，得個「講」字，完全沒有行動。

如頭腦線與生命線起端距離較闊，末端不平直而是向太陰丘下垂者，其人雖然很聰明，亦很伶俐，但做事多是不切實際，神龍見首不見尾，有始無終，只是空談而已。

如此線末端開叉，則肯定是一位雄辯滔滔、議論不絕、口水多過茶的空談大師也。

食指

尾指

感情線長達巽宮，重感情而輕理智

巽宮

兌宮

頭腦線長達兌宮，重理智而輕感情

情與理

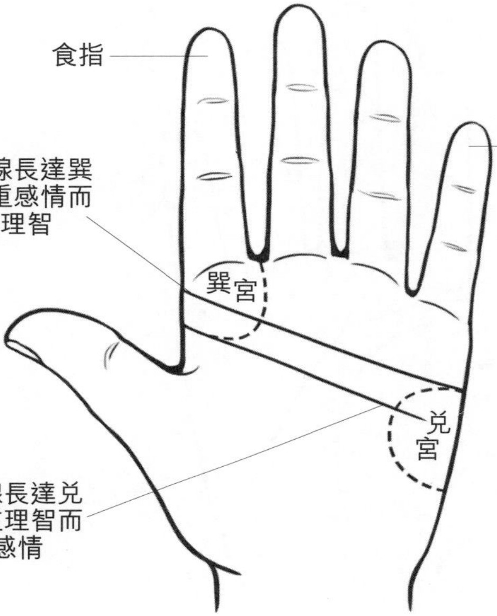

情與義，值千金，但世事往往情義兩難存。秋謹則說：「生命誠可貴，愛情價更高，若為自由故，兩者俱可拋」。相信能夠為大義，拋頭顱，灑熱血，從容就義的人，並不太多，更多的卻是終日營營役役在名利和感情場中。

一個人重感情，抑或重理智，感情戰勝理智，抑或理智控制感情，就要看他的頭腦線與感情線是如何生長了。如感情線過長，直達食指之下，則為了感情可以罔顧是非曲直。如頭腦線過長直達尾指之下，則其人很是理智而不知感情，可說是麻木不仁，兩者皆非吉兆。

客死旅途

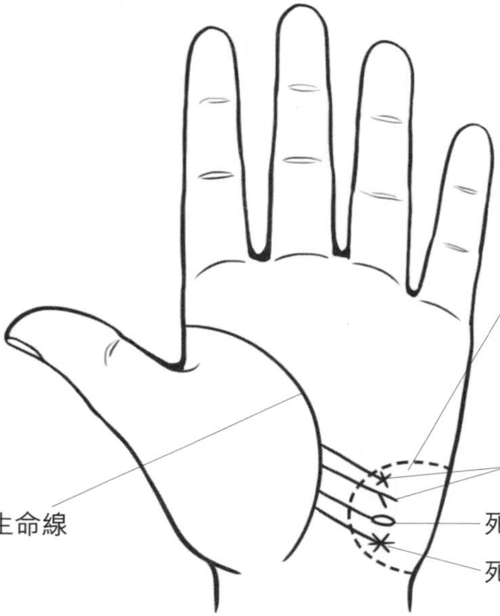

《客途秋恨》是一首膾炙人口的南音，經張偉健稍作修改，竟然成為街知巷聞的口頭禪，真是神來之筆。但假如你手上的旅行線長得不佳，則恐會是客死異鄉，樂極生悲，「客途秋憾」了。

在特殊掌紋中已提及過旅行線，它是由生命線分支出來伸入太陰丘的支線，原本與災疾夭壽無關，但如末端出現十字紋或開叉，就因旅行而遇意外喪生。如末端出現島形，則是遇溺而死。

如果是出現花星，則此人善於尋幽探秘，可惜功成，但不能身退，死於歸途之上。

樂天知命

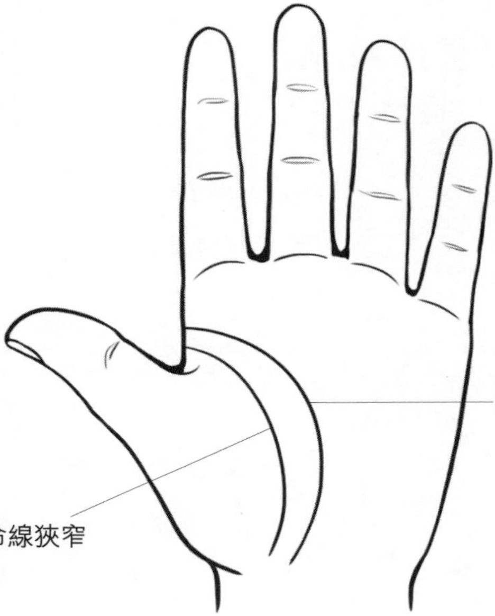

孔子說：「三十而立，五十而知命矣」。知命不代表認命，而是認識怎樣去面對。

一樣米養百樣人，同是受到某一事件的打擊，有人抱頭便睡，睡醒便坦然面對，找出解決的方法；有人卻抱頭大哭，甚至歇斯底里，果真是性格決定一切？

生命線廣闊，整條線條又深秀明朗，這是一個身體健康而又能樂觀自得的人。但生命線若狹窄，此人是杞人憂天，處事悲觀，剛好與前者相反。做物者真奇怪，同是一條線，一條闊，一條窄，性格竟判若雲泥。

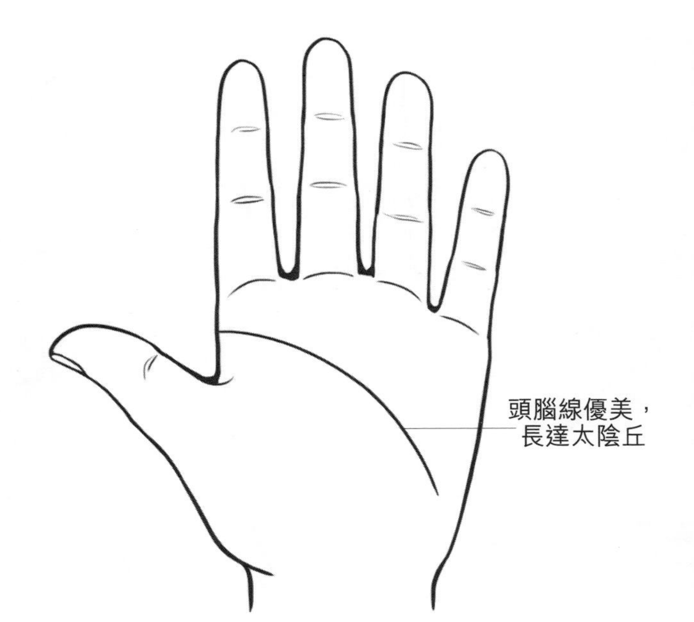

大文豪

「月落烏啼霜滿天，江楓漁火對愁眠」是唐代大詩人張繼膾炙人口的名句，究竟在掌相能否追踪一個人是否有大文豪的潛質呢？可以，觀其頭腦線能否長達太陰丘便知。若其人頭腦線到達太陰丘，手形非常優美，各掌丘又豐滿合度，大拇指壯偉長直，就是一個大文豪、大藝術家，因太陰丘乃想像力、創作動力之源，頭腦線下垂至此是富於幻想，結合手形及各宮優美，便是一個出類拔萃的人物。

但頭腦線末端下垂至太陰丘、手掌太過柔軟、大拇指彎曲不堅，則只是空想多、實踐少、做事缺乏自信的人。

朝三暮四

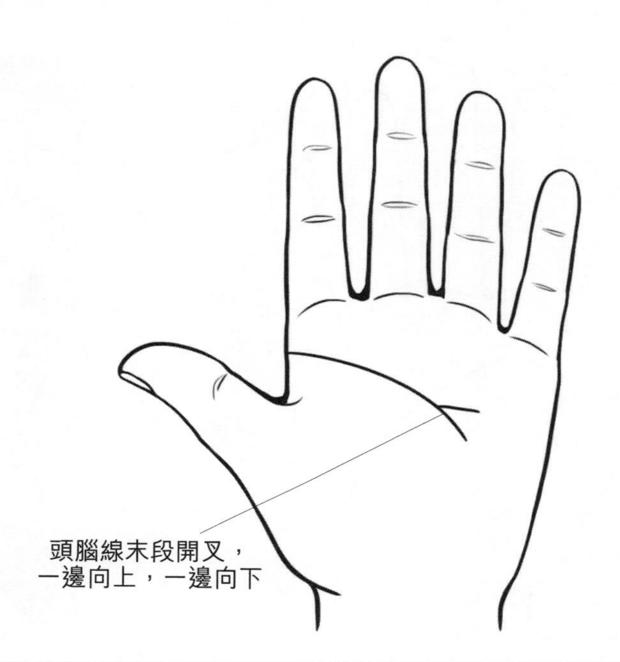

西諺有云：「A rolling stone gathers no moss」，意思是類似我們的朝三暮四，萬事難成。

頭腦線末段開叉，一邊向上而另一邊向下，這類人才華卓越，但做事卻往往不易有成，甚至顛沛流離，生活不安定，原因就是失敗在朝秦暮楚、三心兩意，聰明反被聰明誤也，真是可惜。故此我要贈他們一句座右銘：「數鳥在林，不如一鳥在手」。

如果此人是女性，則除聰明無成外，還因「多心」，老公總是人家好的，沙灘的貝殼總是拾不完，致有數度婚姻。

適可而止

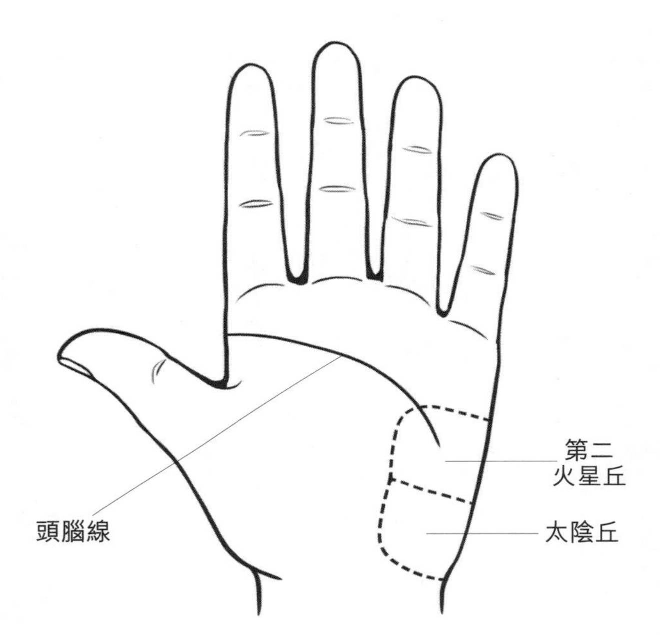

頭腦線長而下垂，本是好幻想之徵，但若其下垂而止於第二火星丘之內，則並非終日魂遊太虛的幻想家，而是行事極有分寸，學富五車，偏重精神生活多於物質享受的大學問家、大思想家，最適宜從事文學或藝術創作，或作科技研究。

如果頭腦線下垂太多，直至太陰丘的底部，線條又不深秀，如加上手形惡劣，就只知終日胡思亂想，不知所謂了。

精力過盛

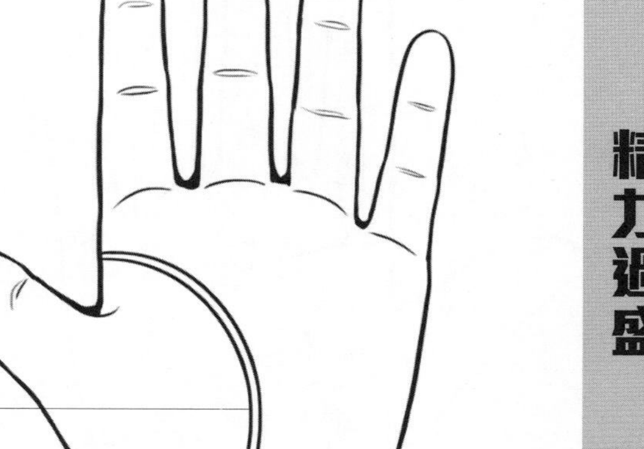

物無美惡，過則為災。精力過盛的人必須要令其得到適當的發泄，方保無患。

生命線成雙的人，其體力特別旺盛，其性格則是一個倔強、剛烈、脾氣很大的人。由於其生命力過盛，往往喜無理取鬧，反叛性強，做出一些破壞性的事來。

故為人父母者，須對他們作出適當的輔導，疏泄情緒，適當地安排參加較多體力消耗的運動，儘量讓其精力發泄在有益的途徑上，轉禍成福。

道貌岸然

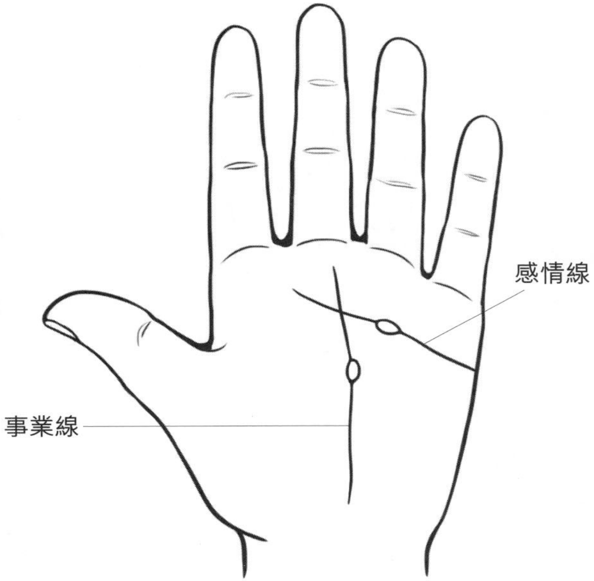

偷，是一種情意結，是一種心魔，所以有些人外表無論多麼老實，總喜歡偷，有人選擇偷竊，有人喜歡偷情。

感情線上出現島形，不論島形是在感情線上的何處，無分男女，皆喜歡偷情。意思是指，在有配偶或伴侶的情況下，還不斷背住對方與其他第三者、第四者發生感情及肉體上的關係。

如島形出現在無名指之下，情況更甚。再加上事業線亦出現島紋，必是一夜情的捧場客。

老人癡呆

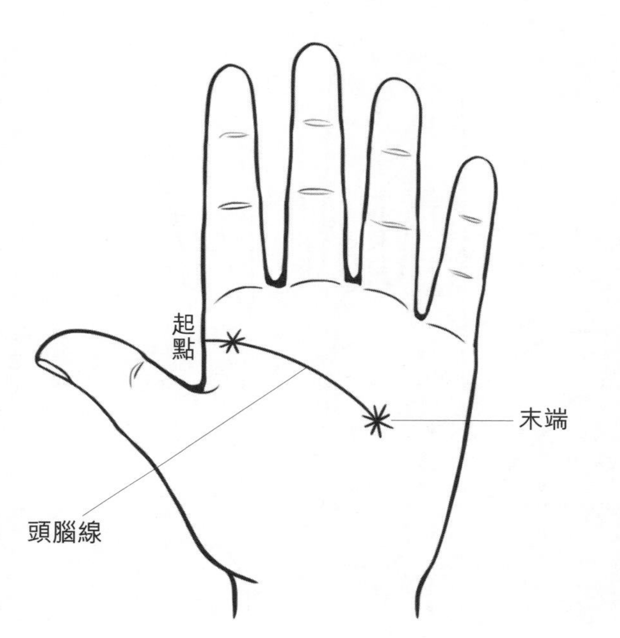

老人癡呆症，是腦細胞衰退及死亡之表現，由於腦細胞是死一個，少一個，不會重新生長的，所以我們要好好保護腦袋，免受傷害。

在頭腦線上出現米字紋，不論在何部位，皆主其人易患癡呆之症，在起點出現，則少年時代腦筋遲鈍，無心向學，讀書成績必定很差。在中段出現，事業一事無成，工作散漫，生活也成問題。如在末端出現，則老年多患癡呆症，甚或瘋癲、自殺，相當可悲。

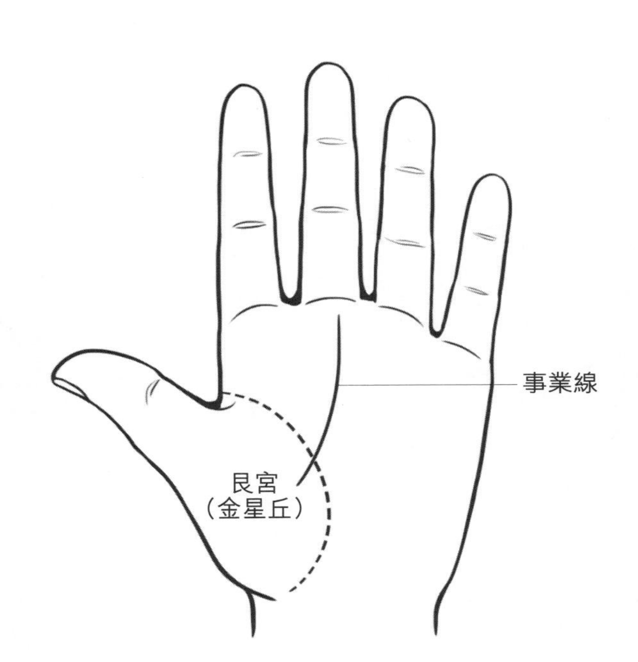

貪花戀酒

風水學訣上有云：「一七，金水多情，貪花戀酒」。意思是指大門的飛星挨到一白與七赤，其人喜歡流連娛樂場所。

如果從手相處觀察，又有何啟示呢？

其事業線多是起自艮宮，即金星丘，斜斜升向中指，則其人易為情慾所迷惑，在事業上反為荒廢，故鮮有成就，因其精力已貢獻他方，盡泄他處了，何有剩哉？

假如頭腦線優美，拇指又強偉的話，則尚能自持，懂得節制。

三線同源

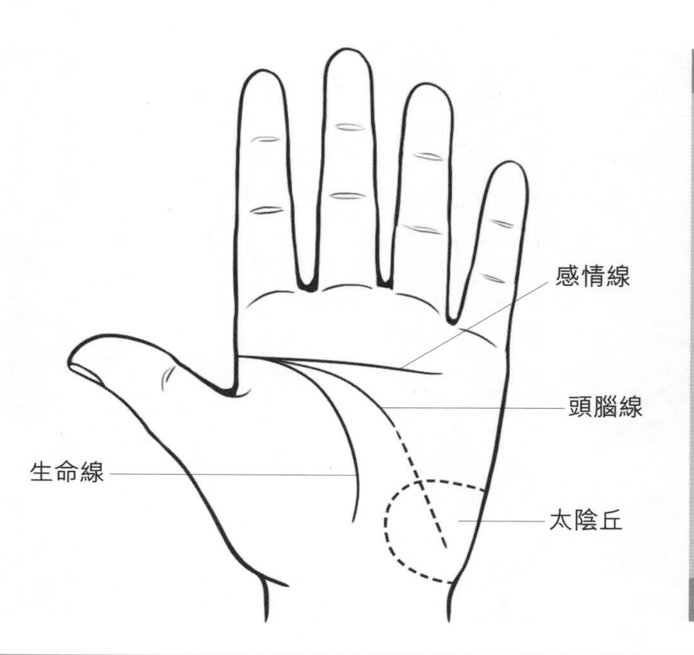

感情線、頭腦線及生命線三線的起點都在同一地方，就稱為三線同源。

此種手紋的人，是極之放縱與任性，只從自己一己之慾去做事，不理後果，最喜歡亂攪男女關係，無論遠近親疏，都可與之有一夜之關係。但色字頭上一把刀，往往因而死於非命。

如頭腦線又下垂至太陰丘的底部，必更應驗。聰明的讀者們，你們認為該如何趨避呢？

寡情薄倖

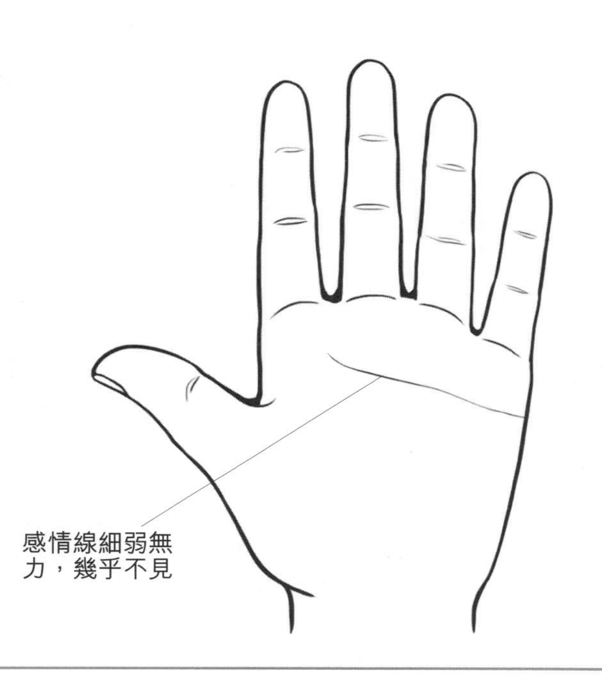

儂本多情，但如有眼無珠，多情反被多情誤，亦是沒有好結果。

觀察一個人對「情」字的價值觀，當然就要看他的感情線，在面相上則可看他嘴唇之厚薄。

在手相而言，假如他的感情線細弱而無力，非仔細觀察甚難發現，就是一個寡情薄倖的人。

感情線微弱固然不好，但感情線粗闊、淺而顏色暗淡或灰白，亦同樣不佳，是利己之心極重之人，難付託終身，慎與交往。

一生奔波

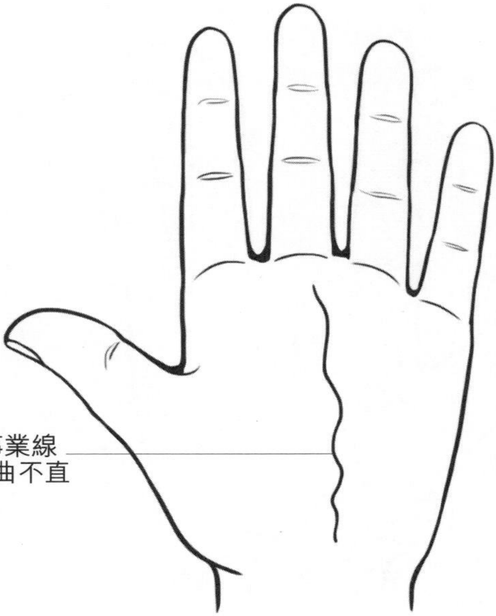

諸葛亮在《出師表》說：「臣本布衣，躬耕於南陽，先帝不以臣卑鄙，三顧臣於草蘆中，諮臣以當世之事，由是感激，遂許先帝以馳驅」。他就是為了一句說話而「出山」，一生奔波，南征北討，馬齒徒增。

事業線雖長，但彎曲而不直，這是不良的事業線，一生的事業必然諸多變動。奔波無定，困難之時多，成就之時則極少，這種事業線寧可沒有，因為手形及三大主線如果優美，反而受了這條線的影響而減低其成就。

孔明功蓋三分國，名成八陣圖，功績彪炳，其事業線當然不是這樣。

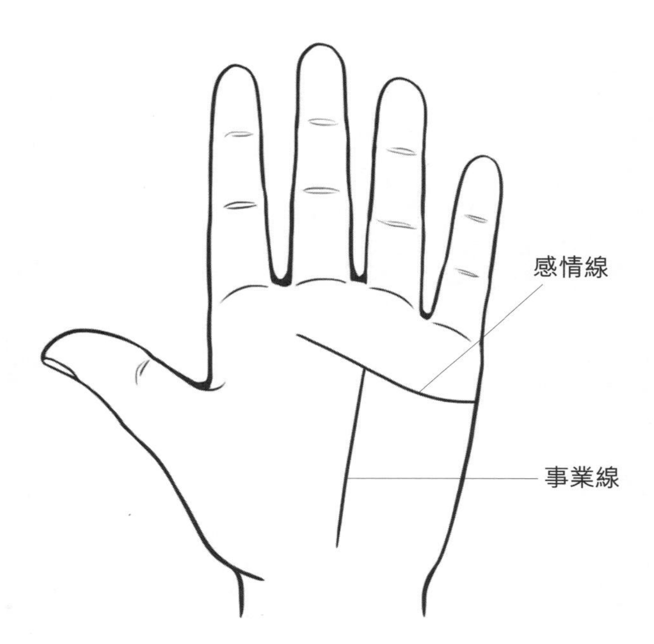

江山與美人

「問世間，情是何物，直教生死相許」，所以有些人在愛情與事業上，就選擇了不愛江山愛美人，究竟這類人在掌相上是如何表現出來的呢？

很簡單，看看他的事業線便知分曉，感情用事的人，他的事業線自然就是向上走而止於感情線。

這樣紋理的人，待人接物必定熱情如火，如果其事業線長得優美，事業上或多或少總有成就，但無論成就多大，終必因感情用事或愛情之故而喪失或放棄其事業。是否可惜，就真是見仁見智了，總是各取所需吧了！

嫁衣裳

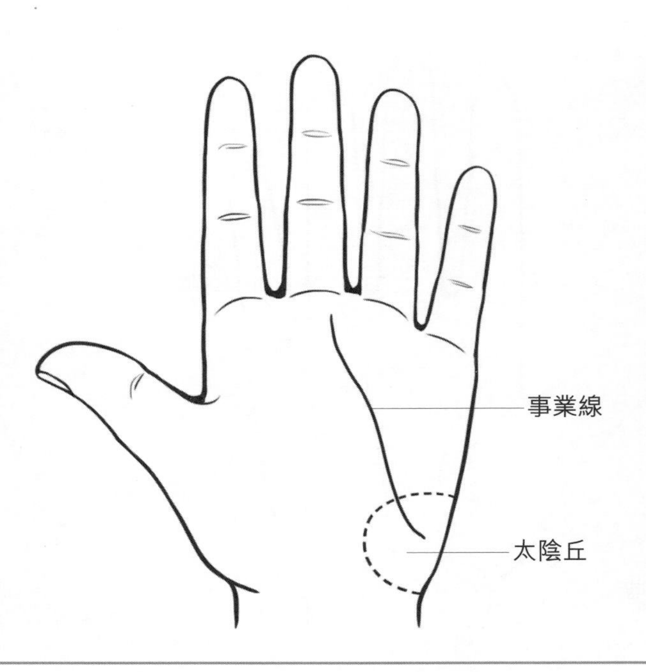

川字掌紋、斷掌紋的人，性格剛烈、喜獨斷獨行，從商要獨資經營，才能成就大業，合夥則必定拆檔收場。

但事業線起自太陰丘的人，就剛好相反，要替他人作嫁衣裳，不宜獨自創業，縱然有此機會，也不易有成，且易成易敗，故從商必定要找拍檔。如果雙雙拍檔而當事業發展很好之後，拆檔出來闖天下，事業就一蹶不振，可說是異數。

此類人往往較有人緣，常能得到他人之幫助，尤其是異性的幫忙，其人面相上有「雙珠朝海」更驗。

長期失業

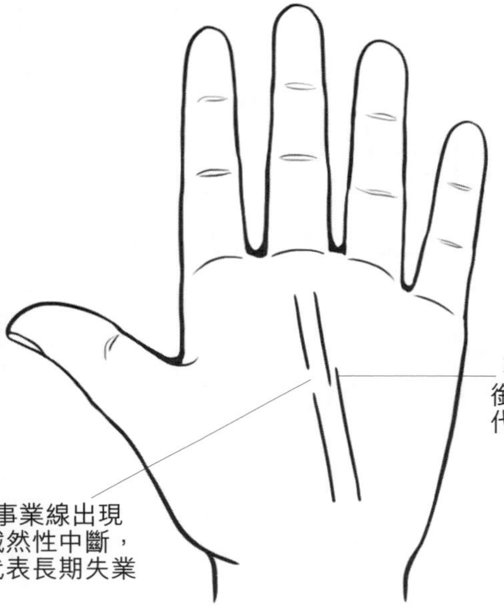

事業線出現
銜接性中斷，
代表短期失業

事業線出現
截然性中斷，
代表長期失業

一個人會否失業，可在事業線上看到端倪。

假如事業線出現銜接性的中斷，表示他會短期失業，其失業與就業之間的距離只不過數個月而已，甚至更短，視乎其銜接位之長短而定。更有一個情況就是表示轉行而已。

但如果事業線出現截然性的中斷，就會因失業而導致生活拮据，斷口距離愈長，則失業時間愈長。如斷紋有三、四處之多，則情況更為惡劣，潦倒一生，不靠綜援過活稀矣。

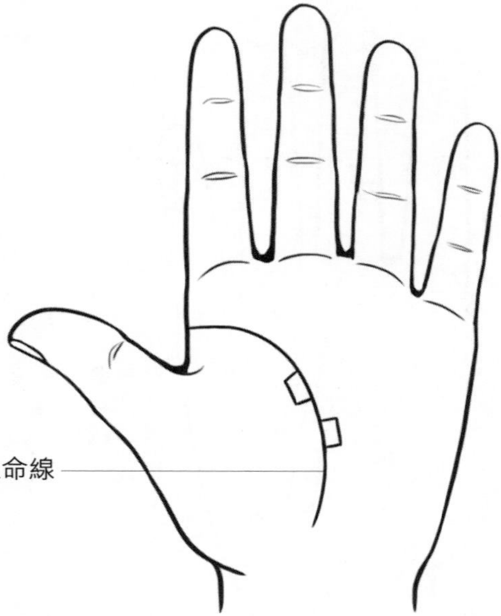

自由

生命線

俗語有云：「阿茂整餅，無個樣整個樣」。但要明白，凡事不是人有你有都是好的。我曾經說過，生命線斷開，在斷開處出現方格紋，是具有保護生命危險的重大作用。但如果生命線完整無缺，而出現方格紋緊貼在生命線之上，不僅毫無好處可言，反而是災難之徵。

不論方格紋出現在生命線之內或外，皆有牢獄之災，眉間有橫紋插入者更驗。如果沒有入獄，就會因患病而須長期住醫院，再不然的話，則會失去自由。我曾見一例是最好彩者，是從事「揸軚」，只被困在電梯內而已。

為情而死

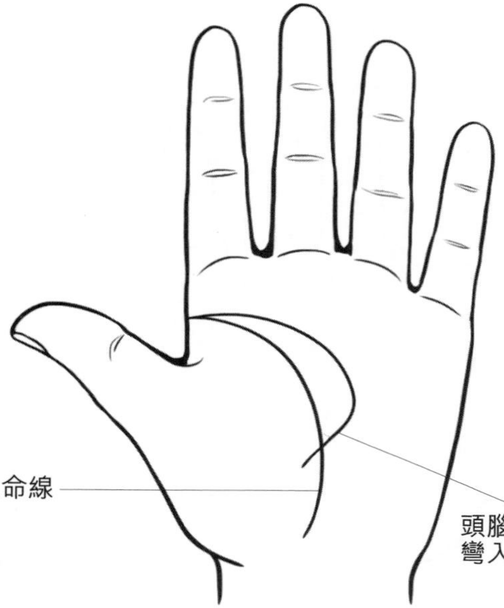

「你雖不殺伯仁，伯仁卻為你而死」。

男歡女愛，合則來，不合則去，這似乎大家都認同的，但世上偏偏有一類人，只要認定是婚娶目標後，就是非卿不娶或是非君不嫁。只要對方提出分手或離婚，他／她都會幹出傻事來，走上自殺之途，為情而死。

這類人的頭腦線往往是下垂而彎入生命線內的。為人父母者，如果看見子女的頭腦線是如此，應及早作出適當的輔導，給予正確的人生觀。

殉情

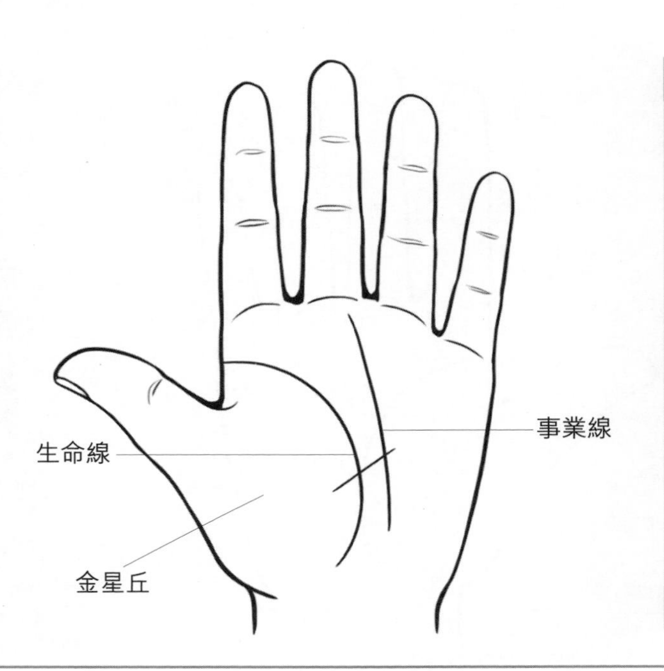

在上一篇「為情而死」，是因對方要求分手，導致生無可戀而自殺。而這篇的例子，卻是因阻力來自家庭，無力反抗，自殺以殉情。

這是一條影響線，由金星丘斜斜穿破生命線，直達事業線，甚至穿破事業線，就有此應。

但假如其人手掌厚實，拇指強偉，頭腦線優美，生命線沒有斷裂，則其人自我控制能力強，是為有救，未必幹出此等傻事，會尋求其他解決的方法。

一意孤行

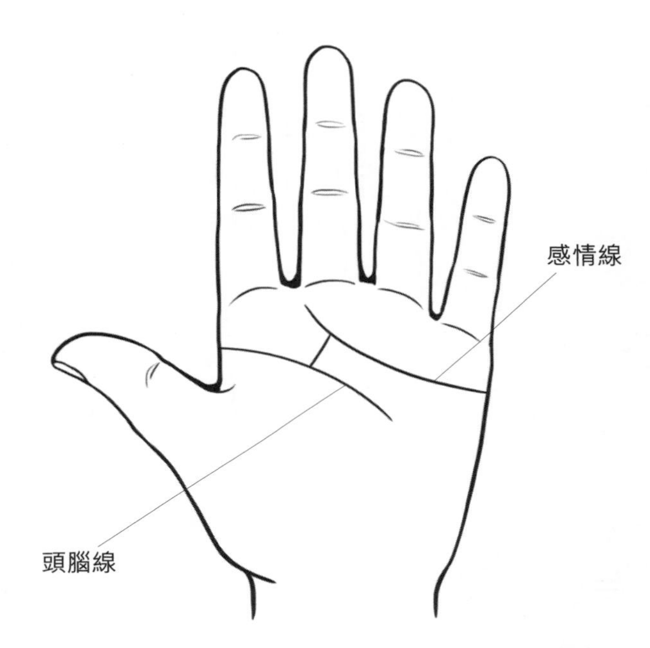

「橫眉冷對千夫指，俯首甘為孺子牛」。

感情線與頭腦線之間，有一線在中指之下將兩線連接起來，不論男女，在愛情路上，如心有所屬，必定勇往直前，不受任何人的意見左右，即有父母親朋大力反對，都必奮起反抗，甚至不惜和家庭或朋友鬧翻。

此情況並不是代表其人對愛情忠心不二，而只是性格之執着，不喜旁人之阻撓而已。

大慈善家

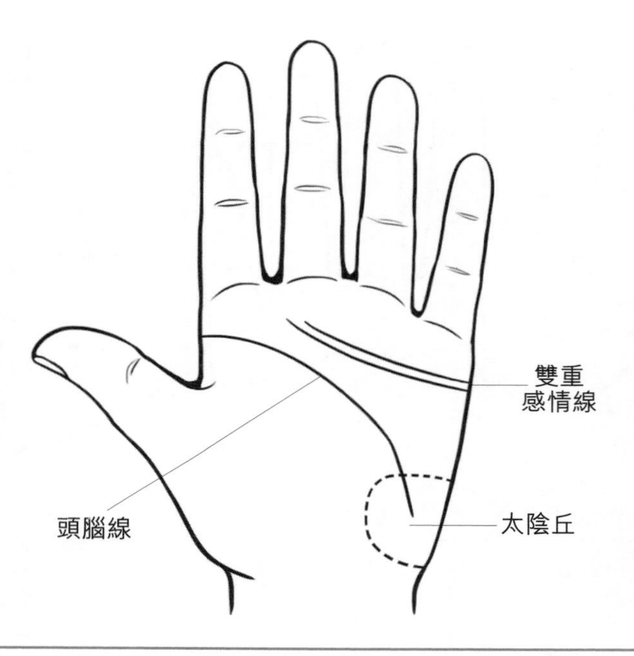

沒有愛心之人，是很難做到大慈善家的，所以他／她的感情線必然有與眾不同的特點，此類人多是有雙重感情線的。

雙重感情線表示此人博愛，感情異常豐富，再加上其頭腦線如下垂至太陰丘者，必然會畢生貢獻於慈善事業上。在這個層面而言，是令人肅然可敬的。

在個人而言，由於其人感情過於豐富，在婚姻路途上，往往難有美滿的結果，多情反被多情誤也。

甜言蜜語

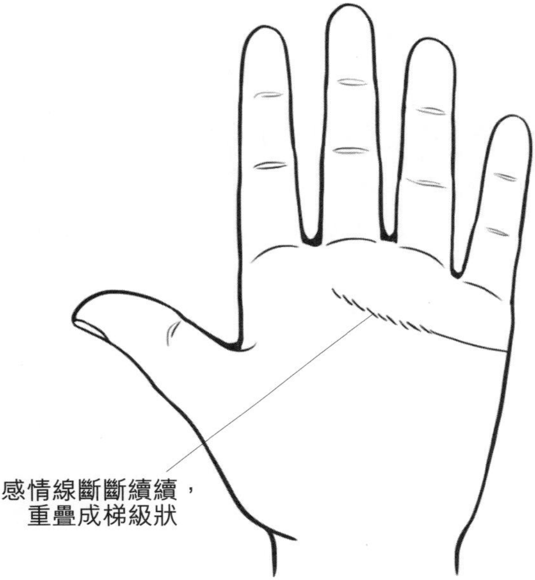

感情線斷斷續續，
重疊成梯級狀

是否記得我在中卷「一生都被人搵笨」一文中提過，三角眼外射者，一生都搵人笨，但三角眼內射者，一生都被他人搵笨。

在手相而言，但凡感情線斷斷續續而重疊成梯級的樣子者，不論男女，皆容易被對方甜言蜜語所打動，受到感情上的欺騙。

感情線斷續的人，都是一些易受感動的人，可能未必喜歡對方，但很容易受對方營造一些浪漫氣氛而大受感動，改變立場，接受對方。

勞碌之命

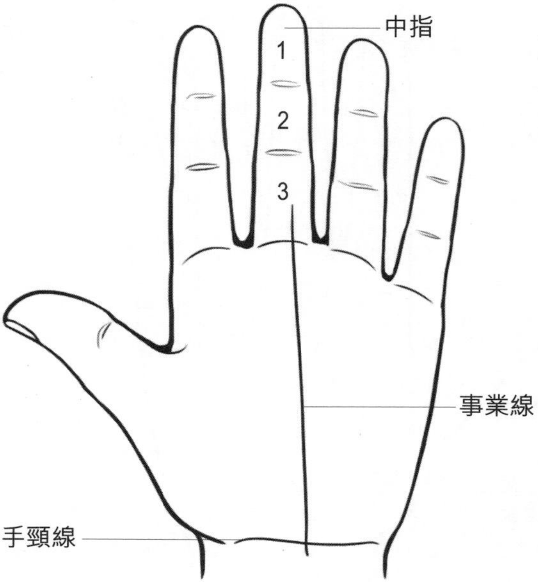

庸碌一生，當然不是好命，但如生性豁達，安貧樂道，身體健康，安享天年，從另一角度看，亦未嘗是壞命。

一個人事業有成，家財萬貫，但從少年工作到老年，一生也沒有空閑的時刻，從未享受過人生，勞碌一生，這又是否好的命呢？

事業線深直秀長，起自手頸線，而末端又直上插入中指之第三節或第二節者，事業成就非常之大，但難免終生勞碌，日無暇晷，至死方休。

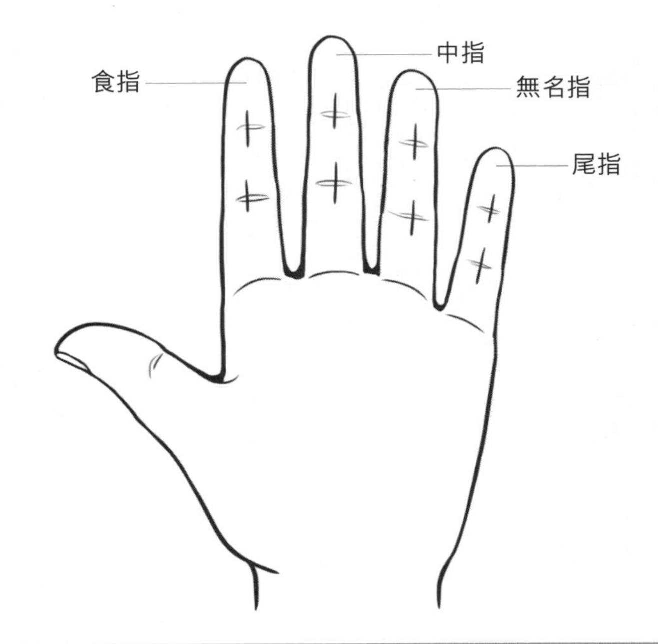

暴斃

暴斃者，突然死亡之意。可以是心臟病發突然而猝死，亦可以因意外而死，例如撞車，結果都是因突發性的事件而在短時間內辭世。

但凡在四隻手指（食指、中指、無名指、尾指）的指節橫紋上出現短短的直線，貫穿指節橫紋，都是主有機會突然暴斃。而遭逢此不幸事件的時間，大多數會在中年，但書云：「相由心改，亦可改禍呈祥」，努力行善積德可也。

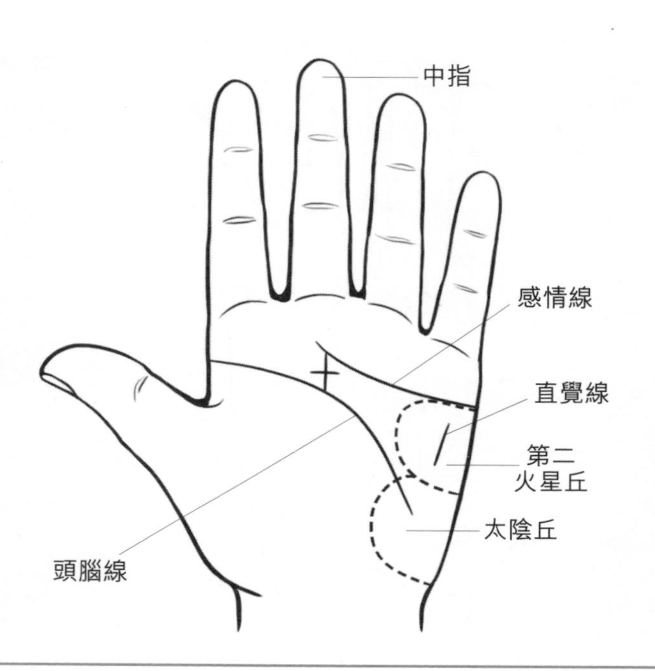

第六靈感

創作是需要靈感的，所謂神來之筆也。故此從事藝術工作者，靈感是創作其中一個來源。很多作曲家都指出一些經典樂章，都是在幾分鐘內創作出來，思如潮湧的時候，一發而不可收拾。

當然，從事玄學工作的朋友，所謂第六靈感者，更加不能缺乏。當一個手相上同時出現如下三個記號時，其人的觸覺都是比平常人來得強烈的。

第一，在中指下出現大十字紋連接感情線與頭腦線。第二，在第二火星丘出現直覺線。第三，頭腦線伸延至太陰丘。

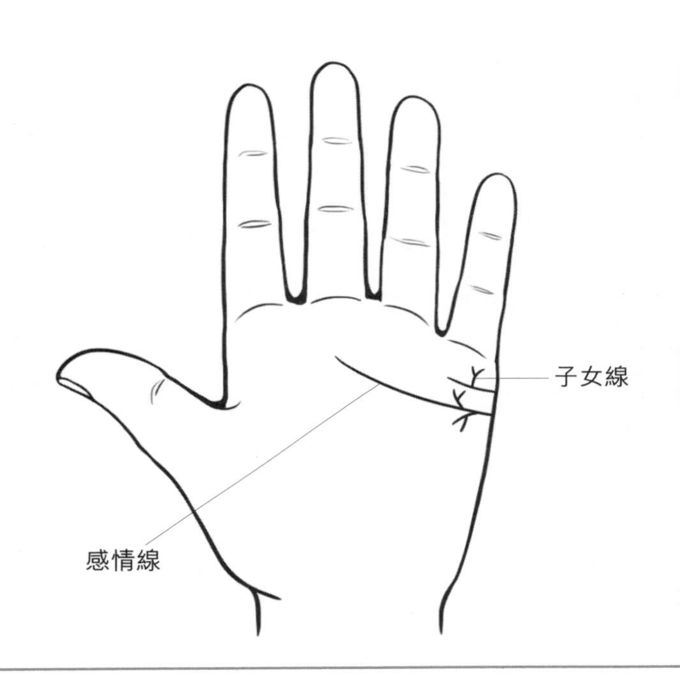

孖胎

好事成雙，添丁肯定是喜事，但是否每對夫婦都喜歡「打孖上」，當然是各有所好，但肯定奶粉錢就必定要雙計了。

在手相上如何觀察一個人有沒有機會擁有孖胎，可從兩方面去觀察。二者中擁有一項已有機會，二者兼收並蓄機會就更大了。

其一，是看其子女線，如在子女線末端開叉者，就有機會有孖胎。

其二，在感情線末端分出「丫」形支線如上圖例者，亦有機會有孖胎。

醋醒

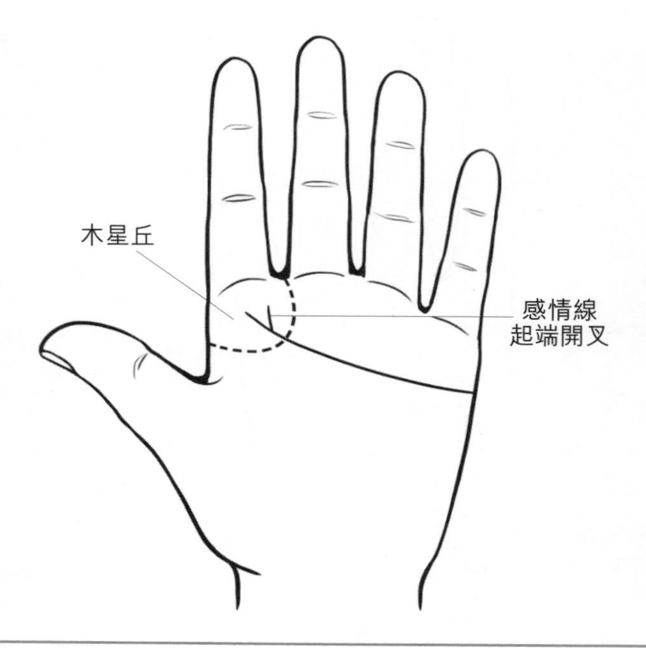

周華健的歌曲有一首是這樣唱：「為愛情受傷，無比動聽」，如果一個人的感情線起於木星丘中部，其起端是開叉的，則其人醋意極大，常因小事而醋意大發，大吵大鬧，這樣的吵鬧，是否動聽，則不得而知，但肯定有傷感情。

若手形是厚實的，頭腦線又是平直，則其人尚能自制，但如果手形厚軟，頭腦線又下垂至太陰丘，則脾氣一發就不可收拾。

「風流」人物

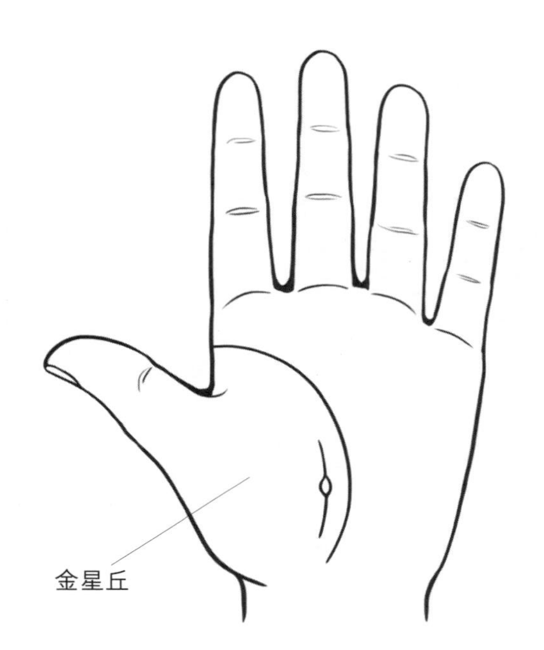

「數千古風流人物，還看今朝」。中國人用字，有時真是可圈可點，此處是指出類拔萃的人物。但很多時風流卻是指其人多情，故有人自辯：男人雖風流，卻不下流。

但如果其人在金星丘內出現如此的島形，有上下線相連，則無論男女，皆是出類拔萃的風流人物，男的慣於誘騙有夫之婦，女的長於引誘有婦之夫，所以其婚姻難有好的結果。

性侵犯

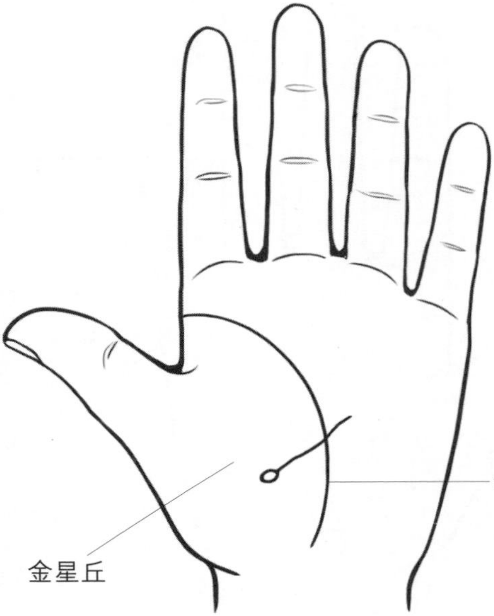

生命線

金星丘

政府的電視宣傳短片常常提醒夜歸女性必須提高警覺，最好預先致電家人到樓下陪伴回家，可知女性必須懂得自我保護，免遭狼吻。

但凡有斜線起自金星丘，而其起端又有一個島形者，就要小心會受到異性的性侵犯，侵犯她的人可能是陌生人，亦可以是相識的朋友。

除此之外，如果眼神出現驚恐的神色，或眼定定，神情呆滯者，更要小心，為人父母者，應對她們加倍照顧。

私生子

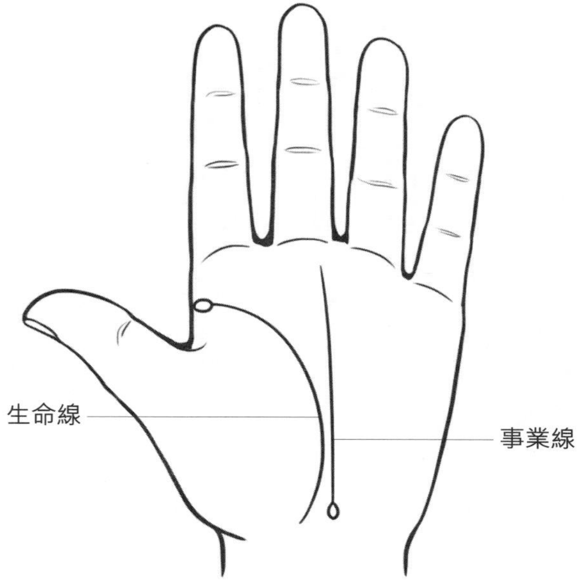

島形在手相中出現，似乎都不是好東西。

在事業線的起端出現島紋，此人的出生則有點神秘，絕大多數都是私生子，如左、右手的事業線起點都有島形，男女皆主與人通姦，即婚外情之謂也。

另外，如在生命線的起點出現島紋，亦有機會是私生子。

不孕

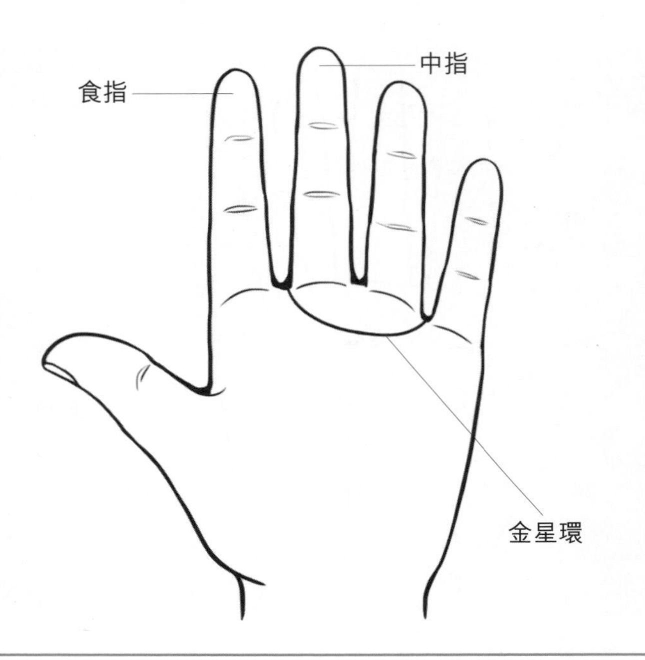

金星環原來除了可以看其人的文藝修養外，還可用來觀察其人是否容易有不孕症。

金星環是從食指與中指的指縫彎向無名指與尾指縫的弧線。

假若夫妻雙方手上皆出現金星環，就應檢查精液或卵子是否有抗體而導致不孕。

但凡出現金星環的，他們的體質就是過敏，容易產生過敏反應，例如吃蝦、蟹後便出風疹。

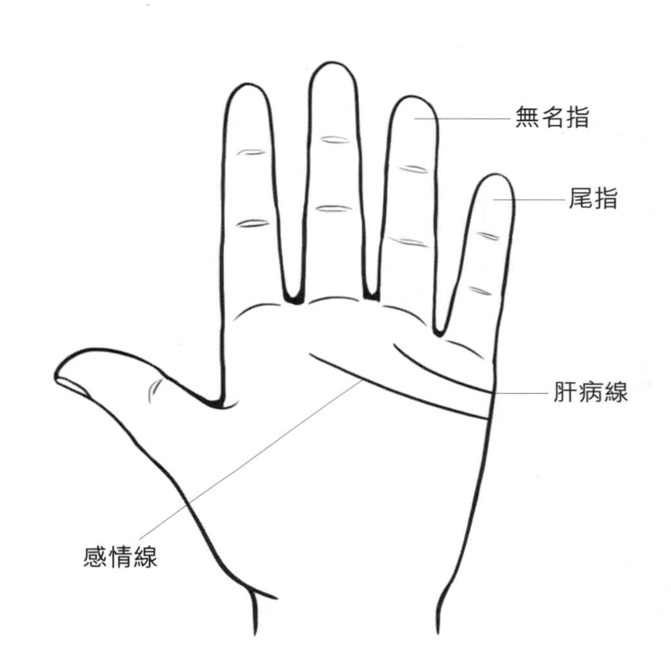

肝病

香港的乙型肝炎的帶菌者數目不少，情況不可謂不嚴重。

如果在感情線之上，尾指之下，婚姻紋的部位，出現一條很長的線，伸延至無名指，此人便很容易患上肝病。

這類人很喜歡喝酒，千杯不醉，但喝了數年後，反而一飲便醉，表示這人肝臟對酒精的解毒能力已下降，易患上肝硬化。

長期服用軟性毒品、吸毒或肝炎的病人，亦會出現此紋。

精神病

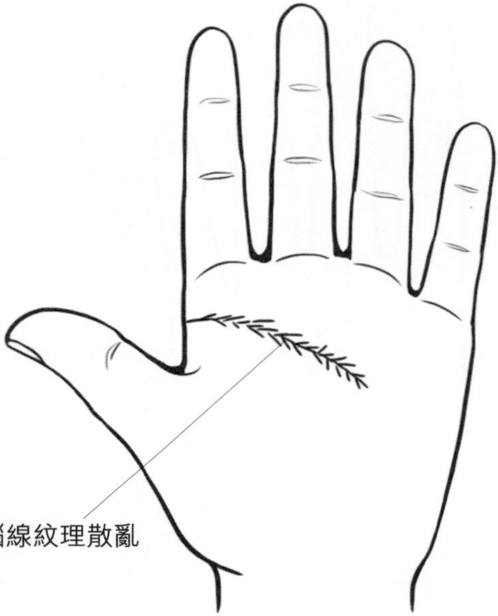

精神病患者，我們俗稱「神經」、「黐線」。

頭腦線之所以被稱為「頭腦線」，原因此線與人體的大腦及神經系統功能密切相關，所以與神經、精神、心腦血管、智力高低、外傷有關的疾病，都能從頭腦線反映出來。

頭腦線淺而淡，紋理散亂，則易有精神病。

出現島紋，則會經常頭痛。島形紋如在無名指之下，更會患有嚴重眼疾。

如在線上有米字紋，則會有心臟之毛病。

寡婦鰥夫

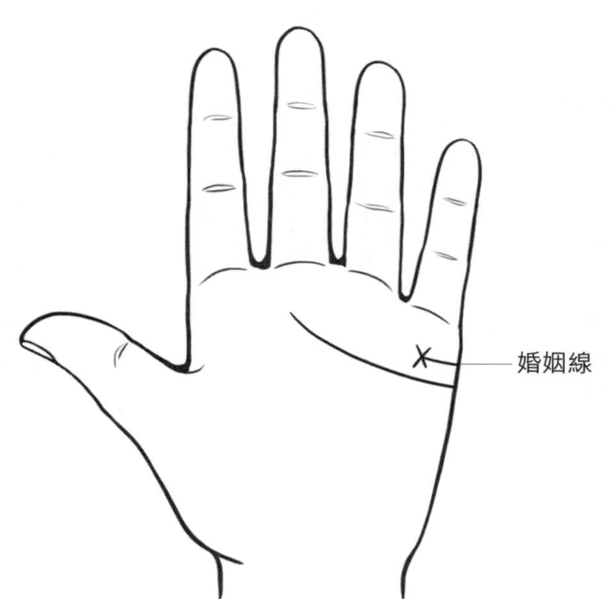

「西風殘照，漢家陵闕」，聞者心酸，聽者流淚。鰥、寡、孤、獨，都不是好東西。

男性右手，女性左手，在婚姻線末端出現十字紋，表示配偶因病或意外而死亡，自己會變成鰥夫或寡婦。

如出現花星紋或黑色的斑點，亦主同論。

當然，如果在其上還有婚姻線，男的可以再娶，女的可以再嫁。

意外之財

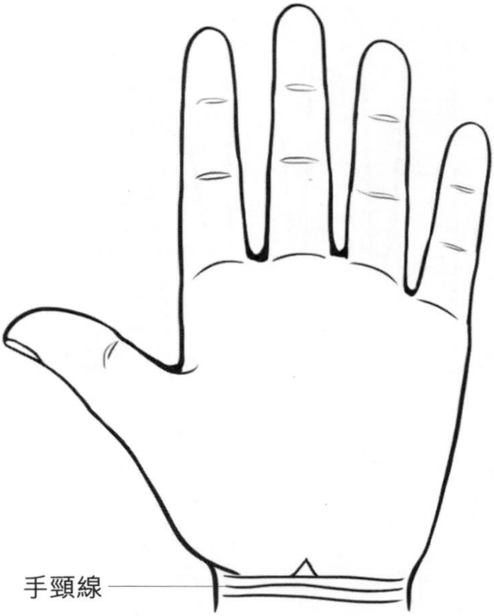

手頸線

人無橫財不富，馬無野草不肥，所以很多人都望一朝富貴，便不用再工作，正如廣東歇後語云：火燒旗桿——長嘆也。難怪六合彩有多寶獎或三T大獎時，馬會投注站便車水馬龍，萬人空巷，蔚為奇景。

但命裏有時終須有，命裏無時莫強求，有沒有意外之財，還得要看看手掌上有沒有烙印。

如在手頸線上出現完整清晰的三角形，主有意外之財。

萬能泰斗

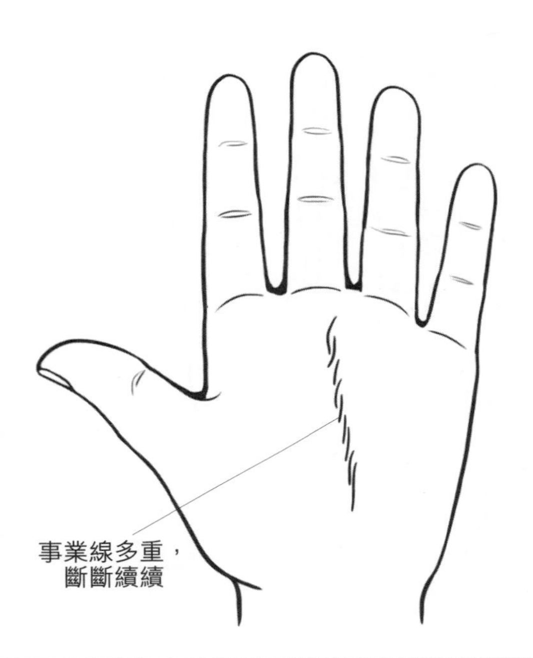

萬能泰斗，多才多藝，很多時是美其名的稱謂，實際上是「週身刀，無張利」，七十二行中，幾乎每一行都做過。政府現時提倡工業多元化，他則是職業多元化。

事業線多條，斷斷續續，有人稱之為萬能線，名字雖然好聽，但其從事每份職業的時間皆不長，終日為找工作而奔波勞碌，費盡心機而一事無成。

無好過有

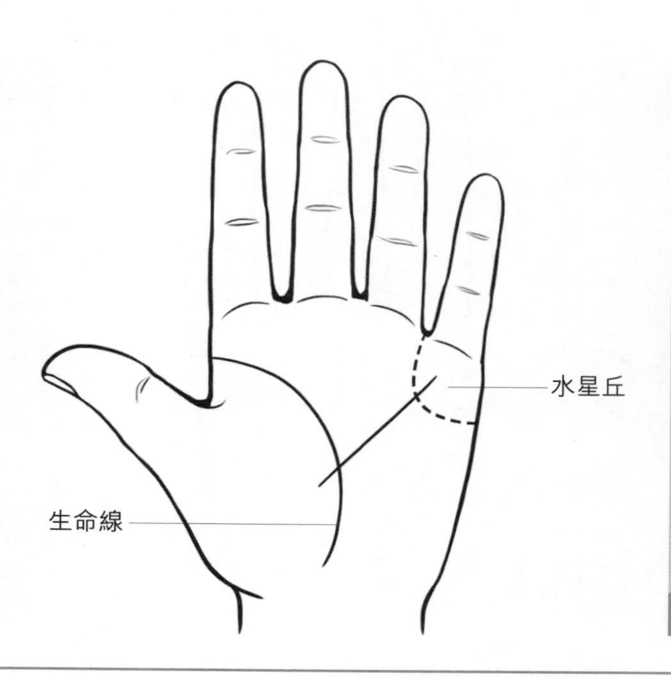

西諺有云：「No news is good news」，意思是說沒有消息就是好消息。

在手相上，有些線亦是無好過有。

有一條線，是起於小指水星丘而斜斜向下走向生命線，此條線是人體健康的寒暑表，它的出現，警告着你的健康是出現了問題。

如此線末端接觸生命線或穿過之，則表示生命有危險，可用生命線流年表計算其發生之時間，一手如此，或可有救，兩手皆是，則危險性很大，要提高警覺了。

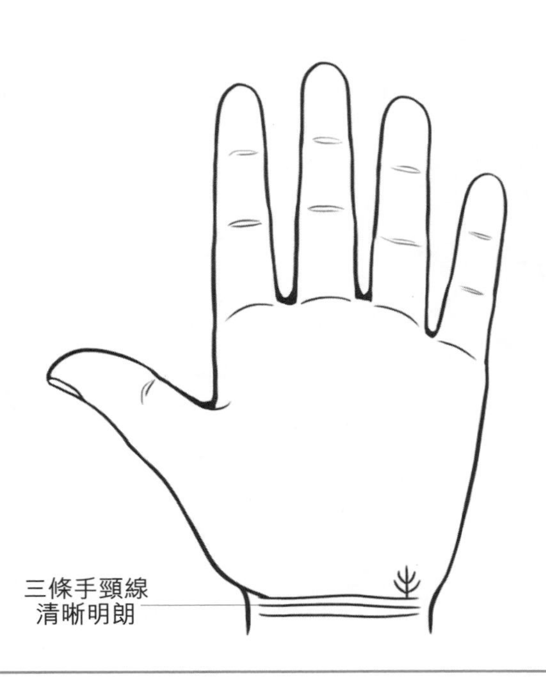

壽星公

手頸線是指出現在手腕部位的橫線。

此線大部分人都有，有些人是一條，有些人是二條，有些人是三條，甚至更多。

此文所說的手頸線，是指三條，而三條手頸線都非常清楚明朗，沒有斷裂，則其人是壽星公一名，不只是多壽，而且是多福，堪稱是多福多壽。

如手頸線上有流蘇線升起者，則是一位大發明家，相信愛迪生都必然有一條了。

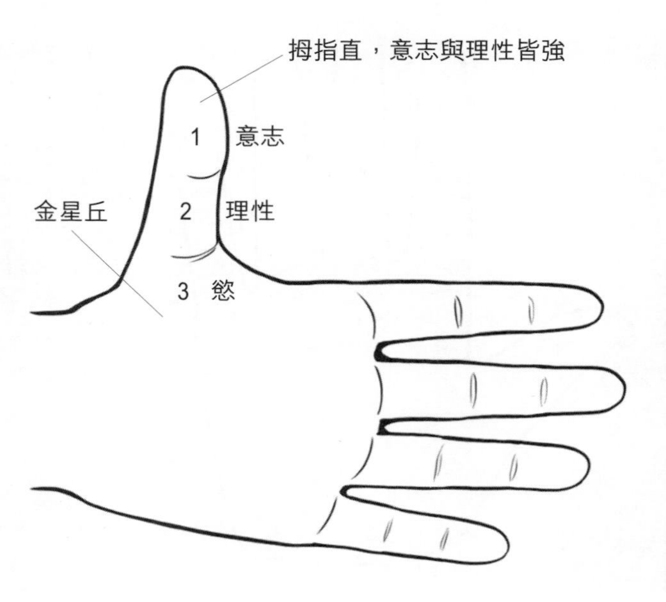

軟與硬

硬掌艱辛，軟掌榮耀。

一般而言，手掌以肉厚、有彈性、質軟為好。手掌肉薄、沒有彈性、質硬為差。

十指不沾陽春水，平日不須勞動者，手掌自然軟綿綿，但過於柔軟，則不是好事。有些風塵女子，手掌骨節，撫之若無，拇指彎曲，所以選擇了另類行業，因在某程度而言，工作性質是比較輕鬆而容易。如金星丘飽滿高脹，則是寓工作於娛樂也。

木頭人

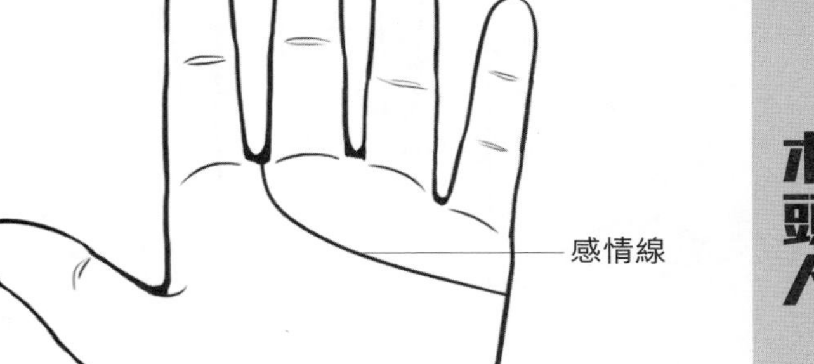

豔如桃李，冷若冰霜。

一個不善於表達感情，喜怒哀樂不形於色，令人要揣摩其意思的木美人站於你面前，你會如何面對呢？我就情願要火美人了，因起碼不用左猜右度也，但很多人明知山有虎，偏向虎山行，喜歡向難度挑戰也。

凡感情線起端在食指與中指之間的人，極善於收藏自己的情感與對事物的感受，很多時往往做出一些出人意表的事情，令週遭的人無所適從。

其人一生都心靈孤獨。

出身寒微

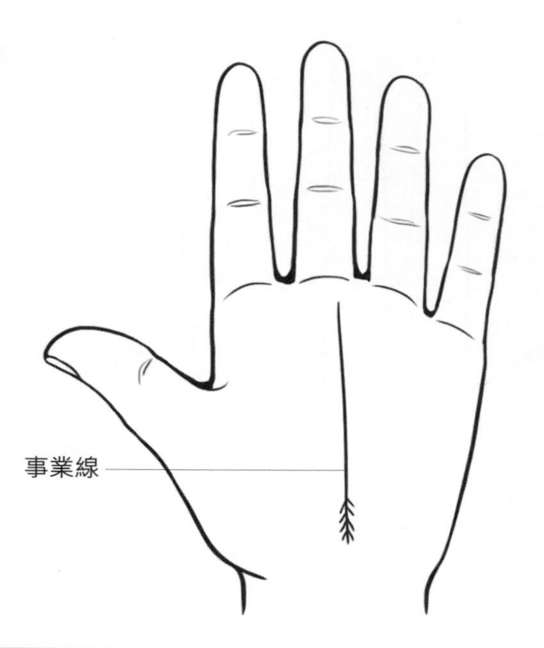

事業線的起端是流蘇線狀，即有很多雜亂的支線，若非幼年喪失父母，或父母有許多不幸事故，便是家中窮困。

但出身寒微，並非代表此人事業上絕無成就，只要流蘇紋所佔的年齡過後（流蘇紋短，難過時刻短；流蘇紋長，刻苦時間長），其後的事業線優美，便能扶搖直上，尤其末段長得優良，更是大器晚成。

臨門一腳

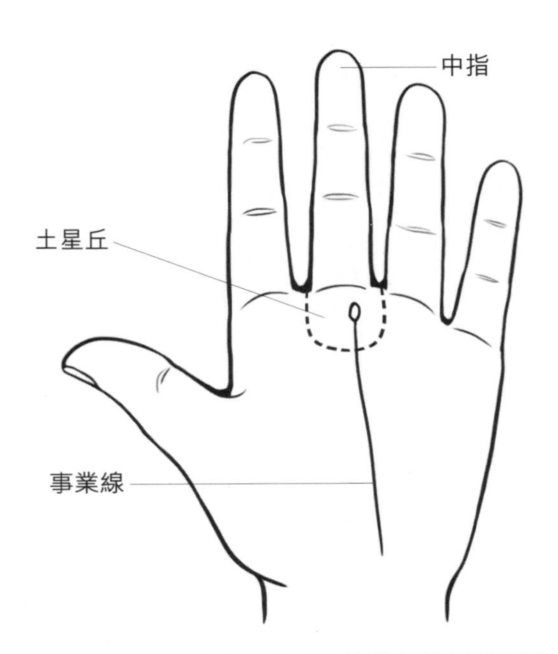

俗語有云：「臨老唔過得世」，的確淒涼，頤養天年皆人人所願，但臨門一腳卻失敗，令人徒呼奈何！

若島形出現在事業線（命運線）節末端，亦即在中指基節下土星丘之內者，無論你過去曾有多大成就，豐功偉績，或曾賺過多少錢，如何風光，臨老之時都要一敗塗地，重重的跌一交。

未雨綢繆，有這樣事業線的朋友，應該好好思索與計劃。

童黨

事業線

黨者，聯群結黨也，青少年終日無所事事，游手好閑，四出搞事，確實是一個社會問題，引起大眾的關注。

其實青少年問題，大多出於父母的疏忽照顧，或不懂如何與子女溝通，故問題少年大部分是來自破碎的家庭。

在事業線（命運線）的起端處出現十字紋，主童年時期家境惡劣或家庭有問題，如在事業線末端又出現十字紋，更表示會有機會入獄。

所以為人父母者或老師們，應花較多時間疏導教育此失落的一群。

名成利就

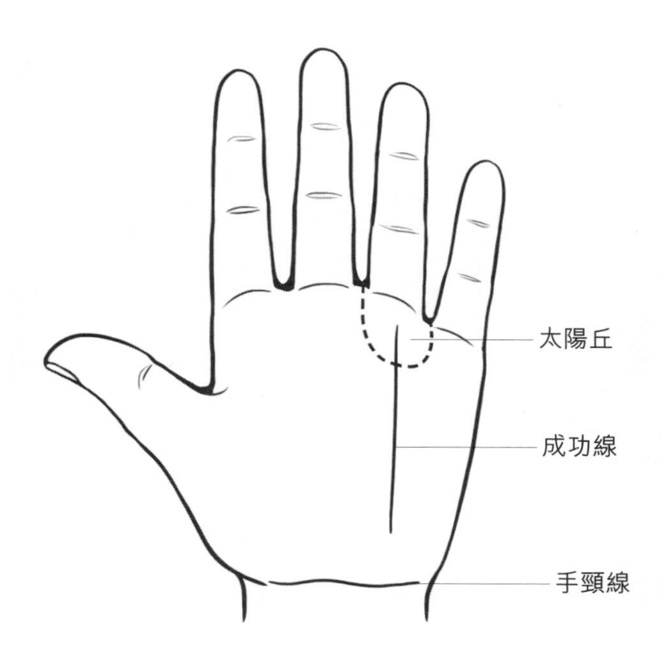

「名成利就，人人想擁有，嘗盡辛酸，不想再回頭」，許冠傑簡單的幾句歌詞，已道盡人生的苦與樂。

擁有優美的太陽線（成功線），再有優良的事業線（命運線）配合，雙線合壁，就容易名成利就。

最優美的成功線，是由手頸線附近直上太陽丘，線條深明秀朗，無彎曲及斷裂，主其人事業易成，戀愛亦易成功，生活美滿幸福。

如有優良事業線配合，一生生活安定，衣食豐足，名利雙收。

遺產

手頸線

很多豪門恩怨，往往是因繼承遺產權的問題，而起紛爭，金錢的魔力果真是沒法擋，正如愛情的魔力，要來的時候，擋也擋不住。

現代有所謂科學鑑證，如果掌相學為法庭所承認，相信對繼承遺產權的訴訟可以幫上一把。（一笑。）

在手頸線上出現完整清晰的三角形，這人在老年時便會繼承一筆遺產。

如在手頸線上出現花星紋，則會繼承他人所遺的財產，例如一些遠房親戚，遠到你亦不知他是誰的那一類。

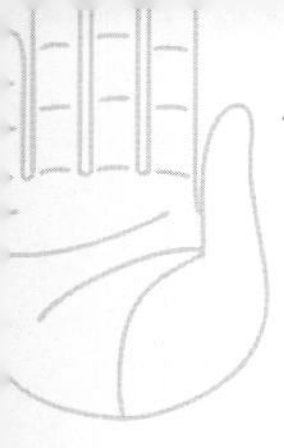

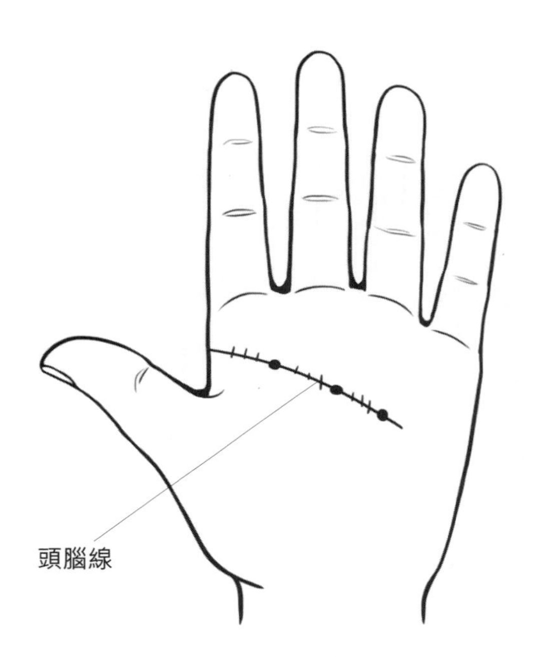

自殺

通與不通，都是在一念之間。想得通，看得開一點，能化戾氣為祥和。想不通，萬念俱灰，就會走上自我毀滅之路，所以一個人有沒有自殺傾向，與頭腦線的好壞有密切的關係。

頭腦線淺而闊，或粗而闊，有許多雜線穿過，或佈滿灰黑色的斑點，此人自制能力弱，思想消極，有自殺的傾向。

頭腦線呈鏈狀，兩旁又有很多細線分出，如毛髮狀者，衝動易怒，難以自制，有殺人及自殺的傾向。

眼疾

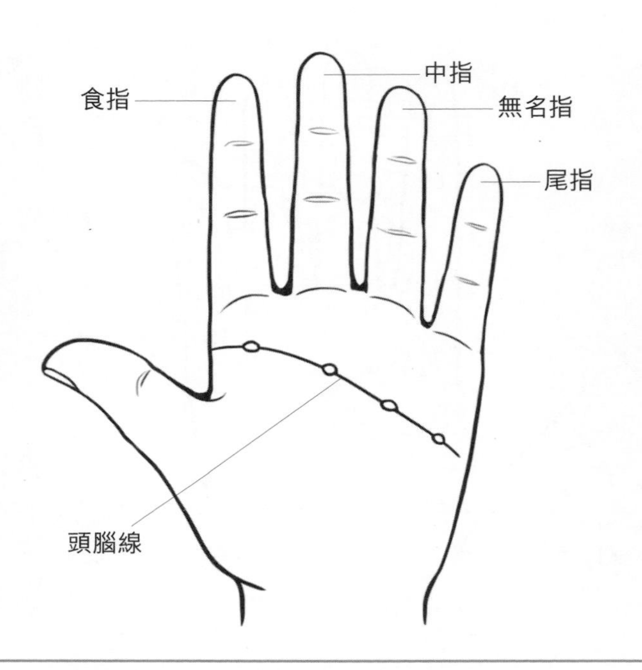

頭腦線出現島形，表示頭部有疾患，出現在不同之部位，會有不同之意義。

例如島形出現在無名指之下，表示其人患有眼疾，視力出現障礙，例如弱視、白內障、青光眼、視網膜脫落等症。感情線在無名指之下出現島形，亦是有視力障礙。

島形出現在食指之下，其人年幼時腦力不足，無心向學。如在中指之下，則時常患劇烈之頭痛，腦部可能有腫瘤。在尾指下出現島形，晚年會犯瘋癲之疾。

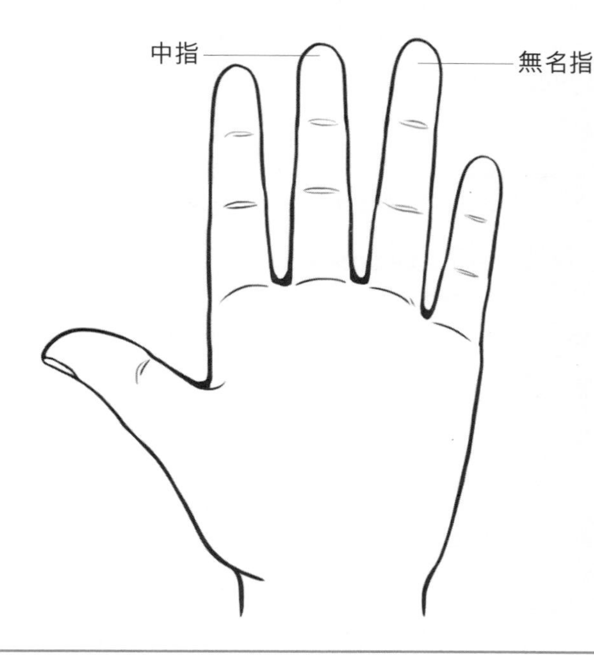

賭仔性格

賭者，賭博也。博者，以小博大也。

無名指特別長，幾乎與中指相等，主其人性好投機，尤好賭博，雖至破產，亦難改本性。

在攤開手掌時，無名指與中指離開頗闊者，主其人放任自為，不顧後果。

所以如果無名指特長，而又與中指距離很闊的人，賭性必重，簡直成癖。

掌相精粹（下卷）
（原名：掌相與你 下冊-掌紋編）

作者
林國雄

編輯
圓方編輯委員會

美術統籌及封面設計
Amelia Loh

美術設計
Man/ Charlotte

出版者
圓方出版社
香港英皇道499號北角工業大廈18樓
營銷部電話：2138 7961
電話：2138 7998
傳真：2597 4003
電郵：marketing@formspub.com
網址：http://www.formspub.com
http://www.facebook.com/formspub

發行者
香港聯合書刊物流有限公司
香港新界大埔汀麗路36號
中華商務印刷大厦3字樓
電話：2150 2100
傳真：2407 3062
電郵：info@suplogistics.com.hk

承印者
中華商務彩色印刷有限公司
香港新界大埔汀麗路36號

出版日期
二○一三年七月第一次印刷

ISBN 978-988-8237-10-4
Published in Hong Kong

歡迎加入圓方出版社「正玄會」！

您了解何謂「玄學」嗎？您對「山醫卜命相」感興趣嗎？
您相信破除迷信能夠轉化為生活智慧而達至趨吉避凶嗎？
「正玄會」正為讀者提供解答之門：會員除可收到源源不斷的玄學新書資訊，享有購書優惠外，更可參與由著名作者主講的各類玄學研討會及教學課程。
「正玄會」誠意徵納「熱愛玄學、重人生智慧」的讀者，只要填妥下列表格，即可成為「正玄會」的會員！

您的寶貴意見

您喜歡哪類玄學題材？(可選多於1項)
□風水　□命理　□相學　□醫卜
□星座　□佛學　□其他＿＿＿＿
您對哪類玄學題材感興趣，而坊間未有出版品提供，請說明：
＿＿＿＿＿＿＿＿＿＿

此書吸引您的原因是：(可選多於1項)
□興趣　□內容豐富　□封面吸引　□工作或生活需要
□作者因素　□價錢相宜　□其他＿＿＿＿
您如何獲得此書？
□書展　□報攤/便利店　□書店(請列明：＿＿＿＿)
□朋友贈予　□購物贈品　□其他＿＿＿＿
您覺得此書的書價：
□偏高　□適中　□因為喜歡，價錢不拘
除玄學書外，您喜歡閱讀哪類書籍？
□食譜　□小說　□家庭教育　□兒童文學　□語言學習　□商業創富
□兒童圖書　□旅遊　□美容/纖體　□現代文學　□消閒
□其他＿＿＿＿

成為我們的尊貴會員

姓名：＿＿＿＿　□男 / □女　□單身 / □已婚
職業：□文職　□主婦　□退休　□學生　□其他＿＿＿＿
學歷：□小學　□中學　□大專或以上　□其他＿＿＿＿
年齡：□16歲或以下　□17-25歲　□26-40歲　□41-55歲　□56歲或以上

聯絡電話：＿＿＿＿　電郵：＿＿＿＿

地址：＿＿＿＿＿＿＿＿

請填妥以上資料，剪出或影印此頁並郵寄至：香港英皇道499號北角工業大廈18樓「圓方出版社」收，或傳真至：(852) 2597 4003 ，即可成為會員！

*所有資料只供本公司參考

請填妥後對摺，黏貼後即可直接郵寄 謝謝

請貼郵票

寄

香港英皇道499號

北角工業大廈18樓

「圓方出版社」收

請填妥後對摺，黏貼後即可直接郵寄 謝謝

正玄會

· 免費加入會員 ·

· 尊享購物優惠 ·

· 玄學研討會及教學課程 ·